As Maravilhas de Alice

CIP-BRASIL. CATALOGAÇÃO NA PUBLICAÇÃO
SINDICATO NACIONAL DOS EDITORES DE LIVROS, RJ

C283m

Camargo, Vera, 1951-
As maravilhas de Alice / Vera Camargo. - 1. ed. - São Paulo : Letras do Pensamento, 2020.
232 p. ; 21 cm.

ISBN 9788562131776

1. Ficção brasileira. I. Título.

20-64670 CDD: 869.3
CDU: 82-3(81)

Leandra Felix da Cruz Candido - Bibliotecária - CRB-7/6135

02/06/2020 09/06/2020

VERA CAMARGO

AS MARAVILHAS DE ALICE

1ª edição – 2020 – São Paulo – SP

Letrasdo Pensamento

Projeto gráfico, diagramação e capa
Rita Motta – www.editoratribo.blogspot.com

Revisão
Vera A. de C. Camargo

Editor
Claudio P. Freire

1ª Edição – 2020 – São Paulo-SP

Letrasdo Pensamento

LETRAS DO PENSAMENTO
Rua Eduardo Prado, 28, Vila Bocaina.
CEP: 09310-500 – Mauá/SP.
Telefone: (11) 3107-6501 | (11) 9-9352-5354
Site: www.letrasjuridicas.com.br
E-mail: vendas@letrasjuridicas.com.br

Impressão no Brasil

Dedico este livro

Ao meu querido pai Benedicto Luiz de Camargo (uma saudosa ausência) e à minha mãe Vera Salles T de Carvalho Camargo, grandes incentivadores do meu interesse pela cultura e pela literatura. Aos meus filhos Aline Camargo Martins (bióloga) e ao André Luiz Camargo Martins (publicitário): eles são meu eterno incentivo e fonte de inspiração. A todos os meus irmãos e irmãs. Ao Thiago Henrique Moreira Mello e à Priscila Tuschinski. Muito especialmente para as minhas netinhas Nina Luiza T. Martins, Julia Camargo Melo e Alice Camargo Melo. Aos amigos que sempre me incentivaram.

Ao Marco Aurélio LoMonaco, que me ajudou a trilhar, desde o início os passos desta jornada nada fácil para publicar minha estória.

À Marcia Goreti que acreditou no projeto e me ajudou a prosseguir.

Agradecimentos

Quando terminei de escrever este livro passei a buscar os caminhos para viabilizar a sua publicação. Comecei a pesquisar e nada parecia fácil. Busquei várias alternativas, por um bom tempo, mas ainda não eram viáveis. Enquanto isto, ia escrevendo outras coisas e sempre buscando uma forma de fazer o livro vir à luz.

Uma tarde eu estava no Centro de Santo André, quando tive a oportunidade de conhecer a Vera L. de Barros, também escritora. Ela me falou sobre o Claudio Freire, editor e aí os caminhos se abriram, finalmente. Desde aqueles dias eu soube que seria ele a pessoa que me ajudaria a realizar meu sonho. O Claudio se mostrou paciente, dedicado e eficiente neste trabalho de edição e por isso devo-lhe um agradecimento muito especial.

Agradeço também à Vera Lucia, amiga de muitas horas e grande incentivadora deste projeto.

Apresentação

Alice é uma jovem tradutora que vive às voltas com o seu trabalho, juntamente com sua amiga e parceira, Sara. Empenhadíssima em sua carreira conseguiu atingir um ótimo patamar profissional e uma boa estabilidade financeira.

No entanto uma tarde em que estava trabalhando viveu uma experiência estranha. De uma forma inteiramente inexplicável, teve a sensação de estar sendo levada para um local insólito. Tentou compartilhar o que acontecera com Sara, mas a amiga não lhe deu a devida atenção.

Depois de algum tempo outras estranhas experiências continuaram acontecendo. Alice começou a ficar intrigada e até mesmo angustiada. Finalmente resolveu dividir suas preocupações com o amigo Gabriel. Ele se mostrou receptivo e resolveu ajudá-la a desvendar o mistério de Jéssica, a "extraterrestre" que queria impedir um ato de agressão contra a natureza.

Mas a aventura não termina e Alice ainda vai passar por muitas situações até se convencer de que não poderia ficar indiferente às solicitações daquele estranho ser. Finalmente, após relutar resolveu agir desencadeando assim uma série de eventos que tornam a estória interessante e envolvente.

A Autora

A Construção da Estória

A estória foi construída a partir de um paralelo com as aventuras de **"Alice no país das maravilhas"** de Lewis Caroll. É importante esclarecer que, ao contrário do que se possa pensar, a obra de Leslie Caroll não foi um mero projeto de literatura infantil. Pelo contrário, os personagens daquela menina **Alice** refletiam uma crítica à sociedade inglesa da época, caricaturando personagens da nobreza e até a própria rainha da Inglaterra. Por outro lado, a estória "**As maravilhas de Alice**" cria um paralelo com a de Leslie Carol. Porém, esta nova Alice, embora tenha algumas características semelhantes à da personagem na qual foi inspirada, reveste-se de uma nova roupagem.

Esta é uma Alice jovem adulta, cuja trajetória no desenvolvimento do romance é contada através de uma abordagem ficcional arrojada. Tem como cenário o ambiente da nossa sociedade pós-moderna, com suas contradições e conflitos, mostrando a angústia existencial do ser humano que se afastou de si mesmo, esquecendo de preservar e respeitar o meio ambiente e ignorando o fato de que a saúde do planeta depende dele mesmo, até para que também consiga ser feliz.

Com bom humor e leveza, tentei abordar alguns temas profundos e importantes nos dias atuais: as relações humanas, o meio ambiente e a ética. Este romance pode ser bem digerido tanto por jovens como por adultos. Assim, o texto "As Maravilhas de Alice" é uma proposta de reflexão aos valores atuais, num universo em que a natureza e o ser humano estão constantemente relegados a um plano secundário, dando lugar ao materialismo selvagem do capitalismo e do mundo globalizado, não menos complexo e desconcertante.

É um texto com características inusitadas e ao mesmo tempo divertido, traz também à tona a discussão sobre as nossas riquezas naturais, sem cair no lugar comum da banalização de uma temática tão profunda e importante.

Devo acrescentar que a estória foi escrita por volta do ano 2000. Na época não havia ainda os recursos midiáticos de que agora dispomos. Desta forma, Alice e os demais personagens usavam as ferramentas que eram viáveis na época. Achei que a estória poderia perder a autenticidade, caso eu optasse por atualizar os momentos em que a comunicação se efetivou passando a usar os recursos atuais. Além disso, o leitor jovem ou adulto que venha a se embrenhar na leitura vai ter assim um retrato mais fiel da época em que o texto foi criado.

Também na época foi feita ampla pesquisa antes de iniciar a estória usando como parte do cenário a Amazônia. Porém, dados mais detalhados sobre a devastação e outros problemas que ocorrem neste tão importante local do planeta não foram utilizados. Pela natureza destes dados e porque eles estão em constante mudança, correriam o risco de ficarem desatualizados, na época da publicação.

A autora

Apresentando Alice

O leitor tem pela frente um caminho leve. Percorrê-lo será uma aventura lúdica. Por detrás de um texto fluente temos uma escritora capaz de condensar em breves páginas um universo extenso e atual sem utilizar de artifícios literários inadequados tão comuns na nossa literatura atual.

Temos uma estória de amor repleta das dificuldades tão naturais destas histórias reais de amor. O ser humano é complexo e nossa protagonista Alice sai da mente da autora para entrar na humanidade bordada por uma artesã da palavra. Nossa personagem se constrói junto com os amigos, verdadeiros companheiros de jornada que lhe ajudam a encontrar sua trajetória. Esta novela literária se inicia com Alice e seu contato com o sobrenatural, o invisível, aquele caminho tão particular do qual nunca se sabe onde é o ponto de chegada. Dentro da insólita aventura, ela é amparada pelos amigos que possuem a mesma dúvida universal sobre o desconhecido. Ela recebe instruções, de uma nova amiga sobrenatural, de como deve proceder para desmantelar uma terrível quadrilha de crimes ambientais.

Alice é uma mulher sensível, como todos nós não é preparada para trilhar os caminhos da intuição, mesmo assim ela vai em frente com todos os riscos e consequências. Manter-se na estrada tem os benefícios do enfrentar a vida de cara limpa traz benefícios de encontrar o amor. Alice sofre, mas sorri. Seu caminhar é na estrada florida do surpreendente. Esta coragem de ir adiante sem nenhuma antecipação do futuro a faz limpa de alma e pronta a encontrar o amor.

O amor prescinde de decisões que só devem ser tomadas pelo coração puro. É a decisão que não deve ouvir opiniões ou se basear em vantagens. É a decisão surpreendente do amor. A beleza de Alice está na veracidade da personagem. Aquela que anda, age e decide pela emoção. Seu *modus vivendi* é o sentimento, age pela felicidade e não pela conveniência.

Por detrás dessa rica personagem temos um cenário onde habita um Brasil com seus desvios e corrupções, espaço com personagens bem construídos como a própria protagonista e um final surpreendente.

Assim como Alice, convido os leitores a embarcarem nesta aventura tão humana e complexa como a vida de todos nós.

Marcelo Marinho

Professor, escritor, astrólogo e especialista em PNL

Prefácio

Vera Camargo nasceu em Assis, interior de São Paulo. Filha de professores, viveu sua infância em um universo cercado por livros. Desde os nove anos, já se interessava por literatura e devorava bons autores. No íntimo, guardava consigo o desejo secreto de se tornar escritora.

Formou-se em Letras, trabalhou como professora na rede pública e particular, e desenvolveu diversos projetos na área da educação. Fez um curso de ficção científica na Usp como aluna do grande ficcionista Roberto Causo e nesta época o desejo de escrever se reavivou.

Estudou italiano na Universidade de Camerino, Itália e trabalhou para as editoras Faenza e Rochas como tradutora de inglês, italiano e espanhol. Seus trabalhos foram publicados em revistas do setor de mármore e granito (processamento do material, usos das pedras na decoração). Estas revistas foram veiculadas em feiras de negócios na Itália e outros países da Europa e também nos EUA).

Ao longo de sua vida sempre escreveu, mas particularmente na maturidade começou a ter como objetivo publicar suas poesias e contos.

Neste livro ela estreia com uma obra infanto-juvenil e tem como objetivo conscientizar crianças, adolescentes e mesmo adultos, sobre os graves problemas que estão ocorrendo com o meio ambiente, levando-os a refletir seriamente sobre esta temática tão contundente dos dias atuais, tentando assim provocar mudanças de atitudes neste novo milênio que está em curso.

Além disso, visa também o incentivo a um tipo de leitura que possa proporcionar as pessoas uma perspectiva de vida mais otimista e feliz.

Marco Aurélio Lo Monaco

(Professor, autor de vários livros e pesquisador de história, tendo se destacado com uma obra sobre o Folclore Brasileiro)

"A dor segue o amor,
como o calor segue o fogo."

(Autor desconhecido)

Sumário

Introdução \ Prólogo

A tarde caminhava tranquilamente naquela segunda feira. Alice trabalhava no escritório de seu apartamento. Ali mesmo, no aconchego da própria casa ela conseguia traduzir textos e livros das mais variadas espécies. A sócia, Sara, era uma grande amiga. Ambas haviam feito a faculdade de Letras juntas e desde então tinham um grande respeito, uma pela outra.

Na época Alice achava incrível a maneira como a amiga tirava as melhores notas e embora fosse ela também muito dedicada e bem sucedida nos estudos, não conseguia manter padrões tão altos como os de Sara. Ela era organizada, racional, disciplinada mesmo. Foi bem depois de terminarem o curso que se encontraram casualmente na rua. Foram para uma cafeteria e começaram a contar as novidades. Quando Alice mencionou as dificuldades que estava tendo para iniciar seu trabalho como tradutora, a amiga que já estava na área havia algum tempo sugeriu que fizessem uma parceria.

– Bem, eu adoraria – disse ela, receosa. – Mas sempre trabalhei sozinha e não sei como seria dividir o trabalho e as contas com alguém.

– Você vai ver como é fácil. Se nos tornarmos parceiras muita coisa pode melhorar – disse a amiga, animada. – O volume de trabalho ficará menor e a qualidade também tende a ser melhor, já que trabalharíamos com uma visão conjunta.

– Pode ser – disse Alice, insegura. – Podemos marcar um dia destes e falar sobre isto com mais calma. E então, me conta mais sobre você. Os paqueras, namorados... enfim...

– Bem, eu ainda estou com a mesma pessoa. Ele é bom para mim, embora as vezes a gente tenha alguns arranca rabos. Mas, e você? Ainda está com o Jan?

Alice sentiu-se triste ao ouvir aquele nome. Ela não estava mais com o namorado, com quem havia ficado durante bastante tempo. Na verdade ela não queria ter terminado, mas as coisas foram acontecendo em uma sequência de forma que, na época não houve outro caminho. Tantas coisas e circunstâncias se desencadearam ao mesmo tempo que ela acabara perdendo o controle e o ex também não tinha aguentado a pressão. Alice sofreu muito na época, pois ela era uma pessoa perseverante e o relacionamento deles parecia perfeito demais para terminar assim.

Ela relatou resumidamente o que acontecera enquanto a amiga a ouvia atenciosamente. A expressão dela denotava a sensível mudança de tom, quando passaram do assunto trabalho para relacionamentos.

– É uma pena, amiga. Vocês pareciam se dar tão bem – disse Sara.

– Sim, isto é verdade. Nós éramos felizes, verdadeiras almas gêmeas. Ele me entendia e nunca me censurava. E você sabe, eu nem sempre sou fácil de lidar.

– Ah, não exagera. Mas você é tão bonita e charmosa. Não demorará para arrumar outro gato. Bem amiga, o café está ótimo e a sua companhia melhor ainda, mas preciso voltar ao trabalho. Vamos marcar uma conversa para outro dia?

– Não sei não... Para falar a verdade, eu não estou pensando nem em gatos, nem em namorados. Quero continuar focada no trabalho, me estruturar melhor como profissional.

– Ah, sei! Me engana que eu gosto. Você sozinha? Não creio – disse Sara, rindo. E soltou um longo miado. Riu de novo ainda mais alto e acrescentou – Nem adianta ficar se escondendo que eles aparecem. Quando você menos esperar, você sabe.

Alice não respondeu nada. Ela não partilhava daquele entusiasmo naqueles momentos. Apenas sorriu e se levantou da cadeira, após terem pedido a conta. A amiga Sara era assim mesmo. Alegre, descontraída e despachada. Já Alice, com sua aparência esguia, os longos cabelos louros e olhos castanho claros era mais contida e discreta. Embora sentisse as emoções com intensidade, não demonstrava isso tão claramente em público e muitas vezes abafava seus sentimentos em nome da razão. Ela realmente chamava a atenção, era bonita e elegante, fina nos modos de agir e no vestir.

Enquanto voltava para casa pensava em tudo o que tinham conversado e ficou bem intrigada. Não só pelas questões ligadas ao trabalho, como também pelas lembranças que a menção ao ex namorado haviam trazido. Mas ela realmente não queria remoer questões afetivas. Era uma pessoa que demorava para tomar decisões, mas uma vez tendo tomado não voltava atrás. Pelo menos não em relação às questões importantes de sua vida.

Logo que chegou em casa tomou um banho e sentou-se no sofá. Tudo estava silencioso a seu redor. O apartamento era gostoso e aconchegante e ficava em um bom condomínio. Mas trabalhar sozinha e em casa era realmente bem solitário. A ideia de ter uma parceira e poder dividir as preocupações profissionais poderia ser interessante. Mas ela tinha que amadurecer melhor tudo o que envolvia o assunto. Quem sabe até falar com um amigo. Alguém que tivesse os pés bem no chão e a ajudaria a pensar.

Abriu o computador e começou a trabalhar. A medida que a tarde avançava ela sentia o cansaço vindo e os olhos já começavam a pesar. Queria ficar até mais tarde, adiantar aquela tradução que a cliente usaria como material de pesquisa para uma tese. Ela era empenhada, até mesmo obstinada, mas conhecia o próprio organismo e sabia que esforços excessivos só poderiam levar a uma bela dor de cabeça que não seria nada benvinda. Além disto, a semana estava só começando.

Sendo assim, ficou ainda traduzindo por mais uma hora e finalmente fechou todos os arquivos e fez algumas anotações que seriam importantes para continuar no dia seguinte. Deu uma bela espreguiçada e ajeitou os papéis na mesa para não encontrar um caos no dia seguinte.

Fez mais uma refeição para encerrar o dia e olhou para o sofá que a convidava com ímpeto. Trocou de roupa e levantou a mão para o céu por ter um cantinho tão revitalizante. Já sentada, começou a procurar um canal que a interessasse. Encontrou um noticiário e começou a assistir.

Após algum tempo, começou a cochilar. Insistiu mais um pouco, mas vendo que a hora já ia um pouco adiantada, resolveu ir para a cama de verdade. Estaria mais confortável e iria se restaurar para o dia seguinte. Cobriu-se com uma manta leve e adormeceu rapidamente. Quando já estava pegando em um sono profundo começou a sonhar. No sonho, ela e o ex namorado Jan estavam juntos em uma praça bonita. Havia muitas flores ao redor e o clima estava ameno e agradável, com uma leve brisa no ar. Eles conversavam e estavam muito felizes, conversavam e faziam planos. Na verdade, secretamente Jan estava planejando ficar noivo e estava esperando o momento certo para falar com ela sobre isto. De repente aquela atmosfera de romance e paz mudou. Alice agitou-se na cama, virando de um lado para o outro.

A moça acabou acordando mais tarde do que de costume e mal abriu os olhos e se espreguiçou, ouviu o telefone tocar. Pulou da cama, assustada e olhou no relógio. Eram 8:30 e a manhã já corria solta. Havia já um sol luminoso entrando pelas frestas da cortina.

– Nossa – pensou ela, sentindo a cabeça pesada – Perdi a hora! Bem hoje que queria começar mais cedo. Mas quem já estará me ligando? Nem deu tempo para um café.

Era o amigo Gabriel. Ele não ligava com tanta frequência, principalmente durante a semana, pois sabia o quanto ela era ocupada.

Alice mal enfiou um chinelo nos pés e já estava na linha.

– Olá. Que boa surpresa. Você está bem?

– Sim, estou. Mas e você? Como vai a vida?

– Vai bem. Muito trabalho, como sempre. Sabe, as pessoas que pedem traduções querem tudo para ontem. Acho que elas pensam que sou um robô. E olha que tenho trabalhado até nos finais de semana.

– Imagino. E hoje, como estão as coisas?

– Bem, mas o computador já está piscando para mim. E eu nem tomei café, você acredita?

– Hmmm. E pelo jeito vai ser aquele café a jato, não é mesmo?

– Infelizmente, sim – respondeu ela com uma pontinha de mau humor na voz.

– Mas e o resto, tudo bem? Como está sua mãe?

– Ela está bem. Mas esta noite eu tive um sonho estranho com ela. Sabe quando tudo começa maravilhoso e depois começa a melar? Sei lá. Sonhos são coisas de doidos mesmo!

– Ah, me conta. Fiquei curioso.

– Agora não dá. Eu realmente tenho que começar. Mas por falar em café, vamos marcar alguma coisa? Assim poderemos conversar com mais calma.

– Claro! Aliás, demorou – disse ele sorrindo.

– A gente combina, ok?

– Certo. Até breve.

– Até.

Alguns dias depois Alice e Gabriel marcaram um encontro em um local gostoso, uma cafeteria que ficava próxima ao bairro dela. O ambiente era acolhedor e tinha uma decoração até um tanto romântica, mas que não caia na pieguice. As mesas e cadeiras eram rústicas e os enfeites escolhidos a dedo, as cores dos objetos combinando com as toalhas azuis. Os quadros nas paredes eram de um tamanho adequado, sugerindo leveza ao local. Seus temas eram bucólicos.

Em uma prateleira ao fundo havia alguns objetos que estavam à venda: pequenas leiteirinhas, bules sugestivos e xícaras minúsculas. Tudo ao redor levava os clientes a um relaxamento agradável depois do café e de um bom papo.

Alice e Gabriel se sentaram e fizeram seus pedidos: ela um cappuccino e uma empanada e ele somente um chá. Alice contou ao amigo que havia tido um sonho lindo. Mas lindo só no começo, paradisíaco até. Porque de repente, descreveu ela, a cena mudou e sua mãe surgiu já em outro cenário. Ela parecia nervosa e de novo o Jan entrou em cena e eles começaram a discutir. Ela estava um pouco afastada e não conseguiu ouvir tudo, mas só algumas palavras da mãe e a reação irritada e até descontrolada de Jan. A senhora dizia que era tudo culpa dele e no final estava quase gritando.

– Nossa, que desagradável! – comentou ele – E você, como reagiu na hora?

– Eu não reagi porque acordei. E bem assustada, sentindo um grande mal-estar.

– Imagino. Muito estranho, pois você não o viu mais, não é mesmo?

– Não, não vi mais. E espero não ver, na verdade. E se ele fizesse isso na vida real eu certamente o mataria. Imagine fazer isso com uma idosa.

– Calma, foi só um sonho. Se bem que, nervosinho como ele era, eu não estranharia se ele fizesse isso.

– É verdade, foi só sonho. Nem quero pensar mais nisto.

Capítulo I

A nova Alice, numa interminável queda

Alice voltou ao trabalho com uma meta: iria terminar aquela tradução o mais rápido possível e logo em seguida marcaria uma reunião com a amiga Sara para entender melhor o que ela estava propondo em termos de parceria. Naquela tarde seu ritmo estava bom e o texto fluía como uma maravilha. Não havia nada no ar para perturbar, barulho externo ou interrupções pelo telefone ou até pela net. Alguns trechos mais difíceis exigiam um cuidado maior e pesquisas mais demoradas na escolha das palavras certas. Ao fundo, uma música suave ajudava-a a manter-se concentrada. De repente ela começou a ouvir um ruído que começou fraco e foi aumentando e sentiu o chão estremecer e a cadeira balançar. Não entendeu nada do que estava acontecendo e começou a ficar aterrorizada. O que seria aquilo, afinal? – Droga – disse ela para si mesma. Logo agora que tudo estava indo tão bem. Nos minutos seguintes o barulho silenciou e o chão pareceu ter voltado a ficar estável. Ela respirou fundo e se ergueu. Havia perdido completamente a concentração. Levantou-se assustada e ficou olhando em volta, ainda tentando entender o que tinha acontecido. Pensou em descer e sair para fora, mas pegar o elevador e descer era um risco. Enquanto pensava, foi até a cozinha e pegou um copo d'água. Foi o tempo suficiente para o tremor voltar, desta vez mais forte. Ela voltou cambaleante para a cadeira, como uma tentativa de encontrar um ponto seguro e se sentou. Mal havia tomado o assento e uma sensação terrível a dominou. A vista ficou um pouco turva e tudo parecia girar à sua volta.

Tentava entender o que estava acontecendo, confusa e apavorada, mas era como se um caos súbito estivesse se instalando à sua volta. Começou a cair. E quanto mais pensava maior era a sensação de estar caindo. Olhava embaixo de si mesma e aquilo parecia não ter mais fim. Nunca havia sentido antes como era bom pisar no chão sólido, senti-lo sob os pés. Ouvir frases como "ponha os pés no chão, menina" ou "planeta terra chamando" era algo comum na sua infância, quando vivia com a cabeça nas nuvens.

Era muito bom brincar de correr atrás das borboletas e pular amarelinha com as amiguinhas. Tivera uma infância muito calma, na pequena cidade de interior onde morava. Mas agora sua vida era cheia de compromissos e preocupações. Gostava do que fazia, mas não podia se dar ao luxo de manter-se desligada ou despreocupada. Aliás, ultimamente vivia tão concentrada no seu trabalho que quase não se divertia.

Aliás, neste momento não havia nem chão nem nuvens e afinal ela já era adulta. Olhou ainda uma vez para baixo e lhe pareceram infindáveis os minutos de sua interminável queda. De repente um forte ruído soou em todo o ambiente e ela finalmente sentiu o piso abaixo de si.

Por incrível que pudesse parecer, Alice não se machucou, apesar de ter ficado inteiramente tonta. Quando olhou à sua volta, não conseguiu entender coisa nenhuma. Apalpou a si mesma e constatou que estava bem. E tudo ao seu redor também parecia exatamente do mesmo jeito: sua cama, seus livros, sua penteadeira e até mesmo seu trabalho interrompido.

Mas e aquela sensação de tontura? E a queda vertiginosa? O que teria acontecido? O toque do telefone interrompeu os seus pensamentos. Como era possível? Que loucura era aquela?

– Alô! Oi Sara! Tudo bem?

– Comigo está. Mas e com você? Eu estava ligando para a sua casa, mas ninguém atendia.

– É que aconteceu uma coisa muito estranha, aqui. Eu não sei exatamente o que foi. Tive uma sensação muito estranha esta tarde. Estava concentrada no meu trabalho quando de repente uma forte sensação começou a me dominar. Eu parecia estar caindo num imenso vácuo, como se fosse um buraco sem fim.

– Como assim? Eu não estou entendendo.

– É difícil explicar.

– Você se alimentou bem hoje? Quem sabe não foi uma queda de pressão?

– Não, não foi queda de pressão. Tenho certeza. Sem conseguir explicar e sabendo que Sara não iria entender nada achou melhor tentar mudar de assunto. Até para tentar entender, ela própria, o que havia acontecido.

– Bem, vamos deixar tudo isto de lado...

– Tudo isto? Tudo isto o que? Eu não estou entendendo nada. E veja bem, quando você resolver "sumir" de novo procure me avisar – respondeu Sara, mostrando-se visivelmente irritada. – Você precisa aprender a ser responsável.

– Calma! Mas você me ligou para falar de trabalho, não foi mesmo?

– Sim, é claro. O editor ligou pedindo o material. Nós já estamos atrasadas.

– Eu vou lhe enviar um e-mail com os capítulos que estão prontos.

– Está bem.

Alice teve muita dificuldade para retomar o texto em que estava trabalhando. Suas mãos estavam trêmulas e ela teve que fazer um esforço muito grande para conseguir prosseguir até o final do dia. Uma forte enxaqueca a acometeu e ela não via a hora de poder descansar, relaxar um pouco e pensar de novo em tudo o que acontecera.

Até ligou para o porteiro perguntando se ele vira ou sentira alguma coisa, mas a resposta foi que o edifício estivera a tarde toda na mais completa normalidade. Como isto foi possível? Como algo assim poderia ter acontecido somente dentro do apartamento dela. Sentiu-se louca e perturbada.

Sentou-se no sofá, mas não conseguia encontrar nenhuma lógica no que havia acontecido. Sem solução, ligou a tv e já estava ficando sonolenta quando o telefone tocou de novo. Era mais uma ligação de trabalho.

– A esta hora, eu não acredito!

Ela atendeu, muito a contragosto e ainda que já tivesse encerrado o expediente. Sabia que tinha que tratar bem e ser tolerante com os clientes e que isto fazia parte do trabalho que desenvolvia por conta própria.

Era a moça que estava desenvolvendo a tese. Ela lhe pediu que enviasse a parte que estava pronta para que pudesse ir adiantando a pesquisa, uma vez que também tinha prazo para entregar a tese.

Após enviar a parte final e certificar-se de que Sara havia recebido, resolveu preparar um merecido café.

Enquanto o tomava, ligou uma música relaxante e recostou-se no sofá da sala. Depois de alguns minutos, adormeceu profundamente.

Capítulo II

Onde estão as minhas amigas nesta hora?

"... Por favor, minha senhora, aqui é a Nova Zelândia? Ou a Austrália? E tentou fazer uma mesura enquanto falava... Havia portas em volta da sala, mas todas estavam fechadas..."

(Trecho do livro *Alice no país das maravilhas* de Lewis Caroll)

Alice estava pensando em quanto Sara era uma amiga sincera e dedicada. Mas como iria explicar uma coisa que nem ela própria entendera? E sabia que não estava sonhando, pois nem mesmo havia adormecido. O toque do telefone a tirou de seus pensamentos. Era ela de novo.

– Afinal, o que houve realmente ontem à tarde? Estou preocupada com você. E quero lhe pedir desculpas por ter ficado tão irritada.

– Está tudo bem, não se preocupe. Eu já disse, é difícil explicar...

– Tem certeza de que não foi uma tontura? Você tem pressão baixa, não tem?

– Tenho. Mas não foi isso, não. Eu tive uma forte sensação de queda e parece que fiquei realmente ausente ou desacordada por algum tempo.

– Não seria melhor ir ao médico? Se você quiser eu posso ir com você.

– Não, não é necessário. Fique tranquila, eu já estou bem.

– Mas se precisar, sabe que pode contar comigo.

Finalmente Alice podia ficar mais sossegada porque o volume de trabalho, sempre tão imprevisível, diminuíra um pouco. Queria aproveitar para arrumar o apartamento. O dia estava bonito e ela se animou, cuidando de suas coisas com capricho.

No fim da tarde separou uma roupa limpa e foi tomar um banho. Em seguida ligou a TV e acabou se concentrando em um filme. Por volta das 21 horas o telefone tocou novamente. Era seu amigo Gabriel.

– Oi, querida. Como você está?

– Estou bem. E você?

– Também estou bem. Mas faz tempo que você não me liga...

– Desculpe. Andei trabalhando demais nestes últimos dias.

– Mas você está me parecendo um pouco distante também.

– É impressão sua.

– Então, quando você estiver mais tranquila, entre em contato comigo.

– Está bem. Quando as coisas se acalmarem por aqui, vamos combinar de fazermos uma caminhada e então poderemos conversar.

No dia seguinte Alice desligou o computador e começou a pensar no que Gabriel dissera. De fato, ainda estava intrigada com o que lhe acontecera. Mas finalmente achou que talvez estivesse dando importância demais a algo que não merecia tanta preocupação.

Finalmente foi para a cozinha preparar algo para comer. Em seguida ligou o noticiário, tentando desviar seus pensamentos.

Mais tarde a editora ligou, marcando uma reunião. Ela achou que não compensava enfrentar o trânsito e resolveu deixar o carro na garagem. Pegaria o metrô.

Capítulo III

Um estranho e insólito mundo

"... Quando chegou à porta viu que tinha esquecido a chavezinha dourada, e ao voltar à mesa para pegá-la, constou ser impossível atingi-la...".

(Trecho do livro *Alice no país das maravilhas* de Lewis Caroll)

Quando Alice voltava para casa, e já estava perto da estação do metrô, começou a sentir novamente uma forte vertigem.

O tempo esquentou rapidamente, pensou. Vou ver se consigo ir até aquela praça ao lado da estação para que eu possa sentar-me embaixo de uma sombra. Conseguiu se aproximar, embora com dificuldade e finalmente sentou-se em um banco, embaixo de uma das poucas árvores que a cidade ainda preservava. Tinha uma copa grande, bela e frondosa.

– Aqui parece mais fresco – disse para si mesma.

Porém a sensação de vertigem começou a ficar cada vez mais forte e em poucos minutos tudo começou a girar muito rápido à sua volta.

– Oh, meu Deus! Está começando tudo outra vez.

A sensação era a mesma do outro dia, porém mais intensa. E ela só conseguia ver um abismo interminável embaixo de si.

Alice não tinha noção de quanto tempo se passara. Quando cessou a queda, olhou em volta e percebeu que se encontrava em um lugar incrivelmente bonito. Havia uma relva suave e lindas flores à sua volta. O céu estava colorido, como se tivesse sido pincelado com tons avermelhados, em um crepúsculo de primavera.

O ar leve e a brisa suave fizeram com que sentisse um bem estar indescritível. Sentou-se na grama e começou a olhar a seu redor quando percebeu um vulto envolto em uma espécie de nuvem, a poucos metros de onde estava. À medida que o vulto se movimentava vindo na sua direção, a névoa foi se desfazendo e ela pode visualizá-lo melhor.

Era uma mulher, ou pelo menos parecia e tinha longos cabelos e a pele muito clara. Os olhos verdes e profundos fixaram-na com suavidade. Vislumbrada com tanta beleza, Alice ergueu o rosto e perguntou:

– Quem é você? E o que eu estou fazendo aqui?

– Calma, Alice, não tenha receio.

– Como sabe meu nome?

– Eu vou explicar... Por enquanto eu não posso me identificar. Peço-lhe apenas para confiar em mim. Você foi trazida aqui pelo meu "Mestre".

– "Mestre?" E o que ele quer de mim? – reagiu ela, com desconfiança.

– Você foi escolhida para uma missão especial. Mas terá que ser preparada e, para isso é importante que se mantenha serena.

– Serena? Meu Deus, como posso ficar serena diante de tudo isso? Estou na rua, preocupada com o meu trabalho e vocês me forçam a vir para cá... perco até a noção de tempo e lugar e você ainda me pede para ficar serena? – respondeu Alice, começando a expressar sua indignação por tudo aquilo.

– Mas é exatamente isso. Aos poucos você vai perceber que para entender seu papel nesta missão, vai ter que sair um pouco do seu mundo.

– Como assim, *sair um pouco do meu mundo*?

– Você está agora em outra dimensão. Deverá vir aqui certo número de vezes e depois que estiver preparada, poderá fazer o que vamos lhe pedir.

– Você quer dizer que *serei forçada a vir*?

– Não, você não será forçada. Quando voltar para a terra deverá pensar com calma. Mas se aceitar estará contribuindo para a realização de um grande bem.

– Isso é um absurdo. Como posso aceitar uma "missão" que desconheço só porque você está dizendo que ela é boa para mim e para o resto do mundo?

– Quando você voltar aqui saberá todos os detalhes necessários e o que deverá fazer. Se concordar poderá sentir como é importante o seu papel.

– E como farei para dar uma resposta?

– Você será avisada. O seu tempo de permanência aqui está acabando. Precisa retornar. E lembre-se: procure ficar tranquila!

Capítulo IV

Alice decide pedir ajuda

"Isso levava tudo outra vez ao início da conversa. Alice já estava meio irritada com os comentários tão lacônicos da lagarta. Empertigou-se e disse com a maior seriedade: – Acho que a senhora devia me dizer primeiro quem é".

(Trecho do livro *Alice no país das maravilhas* de Lewis Caroll)

Alice ainda estava atordoada quando viu algumas pessoas à sua volta.

– Ela está recuperando a consciência – disse um rapaz que havia parado para socorrê-la.

Já pensavam em levá-la para um hospital quando ela abriu os olhos e, espantada, fixou o rosto das pessoas, ali na praça próxima ao metrô.

– A moça está bem?

– Sim, agora estou. Mas não me lembro do que aconteceu, mentiu. Somente sei que tive uma forte tontura e por isso me sentei aqui.

– Você desmaiou. Não quer ir até o Pronto Socorro?

– Não, disse ela, tentando aparentar tranquilidade. Eu estou bem, obrigada. Tenho que voltar para casa.

– Você mora longe?

– Não. Moro próximo daqui. Apenas mais duas estações do metrô – respondeu ela.

– Meu carro está estacionado perto da outra esquina. Posso deixá-la na sua casa, se quiser. Não acha melhor?

O rapaz parecia uma boa pessoa. Ela resolveu aceitar. Ele era gentil e, felizmente não fez nenhuma pergunta durante o percurso. Alice estava ansiosa para chegar e ficar sozinha. Assim poderia finalmente pensar em tudo o que acontecera.

– Vou lhe deixar o número do meu telefone. Se precisar de alguma coisa, pode me ligar.

– Muito obrigada, respondeu ela, descendo do carro.

Entrou rapidamente no saguão do prédio e quando chegou no andar onde morava entrou no apartamento, fechou a porta e sentiu um grande alívio. Repassou mentalmente tudo o que vira e ouvira daquela “estranha personagem” e agora já tinha a certeza de que algo realmente extraordinário estava acontecendo com ela.

Finalmente preparou uma limonada gelada e sentou-se no sofá, tentando organizar as próprias ideias. Ficou ali, durante cerca de uma hora até que resolveu tomar um banho e exausta, foi para a cama.

– Vou tentar conciliar o sono – pensou. Por hoje não adianta pensar mais nisso. Amanhã estarei mais calma e acharei uma solução. Vencida pelo cansaço e pelas emoções, não tardou a adormecer.

No dia seguinte acordou e reiniciou seu trabalho, tentando fugir das imagens que vinham à sua mente, fazendo-a relembrar os acontecimentos do dia anterior. O telefone começou a tocar e por força de suas obrigações, atendeu às ligações e se concentrou nas tarefas. Após se desvencilhar daquilo que era mais importante, parou um pouco e foi fazer um café.

Mas voltando ao trabalho, percebeu que, mesmo não querendo admitir para si mesma, estava difícil esquecer o que acontecera. A verdade é que já começava a temer as conseqüências daqueles estranhos lapsos, aquela visão insólita, a proposta absurda que aquele ser (seria uma mulher?) chamava de *missão*, tudo aquilo era louco e perturbador.

E se acontecesse de novo num momento em que estivesse com algum cliente importante? Teria que inventar algum problema de saúde? Exatamente agora que seu trabalho estava indo tão bem, temia perder a credibilidade perante seus contatos mais importantes.

– Preciso dividir isto com alguém, do contrário não terei mais sossego. Não sei se acontecerá de novo, mas sei que não posso continuar assim. A sensação que tenho é de que estou perdendo o controle sobre a minha vida.

Decidida, resolveu ligar para seu velho amigo Gabriel.

– Olá, que surpresa boa falar com você, Alice. Está tudo bem?

– Tudo bem. Mas nós precisamos conversar.

– Aconteceu alguma coisa?

– Sim, aconteceu. Mas não dá para falarmos por telefone. Você pode vir aqui hoje à noite?

– Claro! Por volta das 19:30 horas. Está bem para você?

– Sim, está ótimo.

– Então eu passo aí para lhe pegar e se você quiser poderemos sair um pouco.

Alice sentiu-se um pouco mais calma e voltou ao trabalho. Às 19:30 em ponto o interfone tocou. Era Gabriel. Ela o convidou para subir. Ele estava bem vestido e sua aparência tranquila aumentava ainda mais o seu charme. Ela o recebeu com um beijo no rosto e disse que ia acabar de se arrumar.

Foi para seu quarto e vestiu um blazer, em seguida penteou os cabelos e passou um batom discreto. Apesar de ser bonita, com seus cabelos quase louros e lisos caindo pelos ombros, estava um pouco pálida e abatida.

– Aonde vamos?

– Sinceramente, prefiro um lugar tranquilo. Acho que não vai ser nada fácil lhe explicar o que está acontecendo.

– Que tal o Lua de Prata? Lá costuma estar calmo durante a semana.

– Boa ideia.

Gabriel e Alice eram amigos há muito tempo e ele conhecia não só os lugares que ela gostava como também seus estados de ânimo. E desde quando ela e Jan, seu ex-namorado haviam rompido, ele não a via tão preocupada.

O bar não era muito grande e era decorado com objetos modernos, em um estilo "clean[1]". As cores claras e a música suave tornavam o ambiente muito acolhedor. Escolheram uma mesa ao fundo e ele a observava enquanto esperavam a chegada do garçom.

– Espero que você esteja bem aqui.

– Sim, eu estou.

Mas ela permanecia silenciosa e pensativa. O garçom aproximou-se e pediram um Giantini seco e uma batida de pêssego com champanhe.

---

[1] Nota da autora: Tradução – Ambiente em que os objetos são sobriamente escolhidos para não sobrecarregá-lo.

Capítulo V

Gabriel ainda é um fiel escudeiro

"... Meu Deus! Como tudo me parece estranho hoje! No entanto, até ontem as coisas corriam como de costume. Quem sabe me trocaram por outra criatura durante a noite? Estudemos o caso".

(Trecho do livro *Alice no país das maravilhas* de Lewis Caroll)

Alice observava um casal que estava sentado próximo deles. Após algum tempo, deu um longo suspiro e comentou:

– Sabe, eu gostaria de ser como aquela moça que está sentada à nossa esquerda.

– É mesmo? Por quê? – perguntou ele, tentando incentivá-la a falar.

– Com certeza ela saiu do trabalho e seu namorado foi buscá-la. E após cumprirem suas rotinas, vieram descontrair. Agora devem estar falando sobre coisas banais, incluindo tudo o que lhes aconteceu durante o dia. Daqui a pouco voltam para suas casas e amanhã começam tudo de novo.

– É assim que você gostaria de se sentir?

– Você, que conhece tão bem a alma humana, pode perceber a tranqüilidade que envolve suas vidas.

– É verdade. Parecem tão serenos... E demonstram ótima sintonia.

– Sintonia. Esta é a palavra. Um com o outro e também com o universo à sua volta, como se tudo se encaixasse harmoniosamente.

– E você acha que a vida é isso? Sintonia perfeita, harmonia? Será que eles também não têm seus problemas?

– Não sei. Mas se têm, não demonstram a menor perturbação.

– Talvez não neste momento... – respondeu ele.

O garçom serviu os aperitivos e perguntou se queriam mais alguma coisa, afastando-se em seguida.

– Mas afinal, com que você está tão preocupada? Está tendo problemas com o Jan, novamente?

– Não, não é isso. Mas já faz alguns dias que eu não tenho mais sossego. Tenho dificuldade para me concentrar no trabalho e nem penso em lazer. Só estou bem quando adormeço e finalmente consigo me desligar.

– Mas por quê?

– É algo que me aconteceu há cerca de vinte dias.

Alice o fez prometer que guardaria segredo absoluto e começou a relatar a louca experiência que vivera nos últimos dias. Quando terminou, olhava ansiosamente para Gabriel, esperando sua reação.

Ele era psicólogo e estava acostumado a ouvir as pessoas e a lidar com situações aflitivas. Mas não esperava algo daquele teor!

– É tudo muito estranho – respondeu ele – Mas, ainda que pareça impossível, deve haver uma explicação para estes acontecimentos.

– Sinto medo, sabe? – disse ela agitada – E o que é pior, depois desta última vez, eu fico me perguntando como será, de agora em diante. Todas as vezes que eu estiver na rua... Você já me imaginou? Eu posso ter outras *vertigens* por aí e sei lá... O pior é que eu nem sei quanto tempo fiquei desacordada, da última vez que aconteceu!

– Você acha que são vertigens mesmo? Por que não vai ao médico?

– Este é o problema, meu caro. Eu não sei o que está havendo. Além disso, ficar tonta não significa que possa haver um desmaio eminente. A sensação que tive foi diferente... E o pior é que nem sei ao certo como explicar tudo isto...

– Você me disse que as pessoas que te socorreram pensaram que você estava realmente desmaiada, certo? Isso demonstra que a sua ausência não deve ter sido muito prolongada.

– Tive a impressão que a noção de tempo lá naquele local onde, digamos assim, aparentemente *estive*, é diferente daqui. É como se fosse outra dimensão, entende? Se é que eu posso falar assim e se é que estas coisas existem... Naquele lugar estranho tudo parecia transcorrer muito devagar, como se eles estivessem em câmara lenta. Oh, meu Deus, como estou confusa! Quem vai acreditar em mim?

– Calma! Pelo menos você conseguiu desabafar comigo, o que já é um passo. E, além disso, você não precisa falar para nenhuma outra pessoa. Pelo menos por enquanto.

– É verdade. Mas e a Sara? No primeiro dia que aconteceu ela ficou seriamente preocupada e me fez algumas cobranças. Preciso saber o que fazer, como me comportar, entende?

– Você está querendo falar sobre a possibilidade de tudo acontecer de novo? – disse ele pausadamente.

– Sim, é claro.

– Então vamos analisar os fatos. Em primeiro lugar eu acho que de agora em diante você tem que contar com essa possibilidade. Vamos partir da hipótese que realmente venha a acontecer outra vez. Talvez fosse o caso de pensarmos que você deveria encarar os fatos como se tivesse que fazer uma viagem rápida e inesperada...

– Não seja tolo, Gabriel – respondeu ela, irritando-se com a comparação. Viagens rápidas, na vida real, têm itinerário e horário certo para acontecer.

– Exatamente. Mas é justamente este o ponto! Você já parou para pensar que mesmo que você fique vinte e quatro horas com uma pessoa do seu lado, se ocorrer de novo, ela pensará que foi um desmaio?

– Bem, neste ponto você tem razão. Eu acho que ninguém poderá me ajudar...!

– Não foi isto que eu quis dizer. E também, não vamos ser extremistas. Acho que você deve continuar levando uma vida normal e continuar saindo quando for necessário, como se nada tivesse acontecido. Mas sempre que você precisar se ausentar ligue para mim, antes de sair de casa. E eu também procurarei ligar para você, durante o período em que estiver fora. Se eu notar alguma anormalidade, eu a localizo onde você estiver e vou ao seu encontro imediatamente.

– Localizar como? Você tem bola de cristal, por acaso? – respondeu ela, cada vez mais agitada.

– Alice, você está começando a ficar alterada! Vamos com calma. E para ser sincero eu também não sei bem ao certo como lidar com tudo isto. A única coisa que posso lhe dizer é que, por mais maluca que a idéia possa lhe parecer, caso você volte *aquele lugar*, exija da estranha criatura uma informação mais precisa de quando acontecerão suas *ausências*. Pelo menos até que você consiga descobrir exatamente o que eles querem que você faça.

– Exigir? Espera aí, não é bem assim... Bem, Vamos supor que eu resolva concordar com você, mesmo a contragosto. Mas e quanto ao seu trabalho? Como você vai deixar seus pacientes no meio das sessões e sair assim, de repente, caso perceba alguma anormalidade?

– Se precisar realmente sair, você sabe que a outra terapeuta pode me substituir.

– Eu sei que você pode desmarcar suas consultas e agendá-las de novo. Mas a questão é a seguinte: imagine que eu estou conversando com um cliente e de repente a loucura acontece de novo. Todo o meu esforço profissional vai por água abaixo, você entende?

Intimamente Gabriel estava tão perplexo quanto ela e talvez tivesse dado aquelas sugestões mais para tranqüilizá-la do que por acreditar que tudo aquilo fosse realmente possível.

Queria também ganhar tempo para pensar melhor a respeito do assunto.

– Bem, felizmente eu sou psicólogo e não médico cirurgião – concluiu ele.

– Meu amigo, nós estamos lidando com o imponderável e essas coisas não são tão simples assim.

– Mas eu não vejo outra maneira de encarar os fatos, pelo menos por enquanto. Como você mesma está dizendo, nós não temos garantia de nada. Mas, se acontecer de novo, talvez você se sinta mais segura, sabendo que já temos uma estratégia e que, de uma forma ou de outra, estarei por perto.

– Está bem. Eu vou considerar tudo o que você está me falando.

– Além disso, basta você me avisar quando agendar um contato pessoal com algum "cliente importante". Eu estarei trabalhando normalmente e mesmo que o celular esteja no modo "vibrar", o identificador vai registrar a chamada e eu vou verificar. Ligarei para você em seguida e eu a encontrarei. Fique tranqüila!

– E se, mesmo apesar de todo este digamos "esquema preventivo", eu não conseguir avisar você?

– Alice, seja razoável! Quantas vezes alguém sai na rua e acontece um imprevisto ou um problema qualquer, uma situação inusitada? As pessoas não vão mais sair por causa disso? Não queira ser tão previsível a respeito de tudo. Eu estarei por perto – insistiu ele – fique tranqüila. Mesmo quando estamos lidando com o imponderável, temos que prosseguir, pois a vida continua. Imagine quantas situações imprevisíveis acabam surgindo no nosso cotidiano, nós não podemos ter tudo sobre controle durante todo o tempo! Não precisamos nem devemos problematizar cada situação nova que surgir na nossa vida. Eu sou seu amigo há tanto tempo, conheço os seus hábitos e perceberei se houver algo errado, confie em mim, por favor.

Não havia mais o que argumentar. Ela era terrivelmente teimosa, mas Gabriel estava confiando no seu poder de persuasão.

– Lá isso é verdade... – respondeu ela, começando a parecer mais tranqüila. Qualquer um pode sair na rua e está sujeito a imprevistos. As situações não são exatamente iguais, mas... Afinal eu não tenho como controlar o mundo o tempo todo...

– Bom, para falar a verdade, esta nossa conversa me abriu o apetite. Que tal pedirmos alguma coisa para comer? – disse Gabriel, abrindo um largo sorriso.

– Eu admiro esta sua tranqüilidade! – disse ela. – Sim, vamos comer algo.

Alice respirou fundo. Foi a primeira vez, nos últimos dias, que conseguiu ficar mais descontraída.

– De hoje em diante eu serei seu fiel "guarda costas". Ficarei à sua inteira disposição.

– Quanta dedicação! Creio que nunca poderei retribuir a sua bondade.

– Nem pense nisso. A sua amizade me basta.

Finalmente tudo parecia voltar ao normal. Pelo menos, era o que ela esperava. Ficaram ainda mais um pouco, conversando sobre o trabalho e os amigos.

Uma brisa fria começou a entrar pela janela, embora a noite estivesse muito clara e bonita. Alice se encolheu um pouco e voltou a ficar séria. Ele olhou na direção do garçom e o chamou. Pediu a conta e em seguida voltou-se para ela, como se quisesse se certificar de que estava realmente bem.

Finalmente Alice deu um leve sorriso e eles se levantaram para ir embora.

Capítulo VI

Uma cliente a domicílio

"Aceita um pouco de vinho?
– perguntou a Lebre de Março, em tom muito amável. Alice olhou em volta da mesa – não havia nada exceto chá".

(Trecho do livro *Alice no país das maravilhas* de Lewis Caroll)

Alice caminhava rapidamente entre as pessoas sem se dar conta de quanto já havia andado. Releu o endereço na agenda e constatou que ela já estava bem próxima da residência da Sra Stevenson.

– Finalmente – pensou – parando em frente a uma casa grande e antiga, porém muito bem cuidada, em estilo "normando". Uma destas raridades que a cidade ainda conservava. Ela apertou a campainha e logo em seguida apareceu uma moça uniformizada.

– Venha. A minha patroa está esperando a Senhorita.

O ambiente, no interior da casa, era austero e tinha belas obras de arte por todos os lados. Os móveis antigos estavam extremamente bem conservados. A empregada a acompanhou através de um hall que levava a uma grande sala de estar. Sentou-se e ficou imaginando se a inglesa teria o hábito de tomar o famoso e tradicional "five o'clock tea[2]", costume praticado na Inglaterra. E, coincidência ou não, já eram 16horas e 30min.

Em poucos minutos a Sra Stevenson apareceu.

– Boa tarde!

Alice sabia que toda a conversação teria que ser em inglês porque a Sra Stevenson havia chegado da Inglaterra há apenas duas semanas.

– Estes textos são bastante importantes para a pesquisa do meu marido. Ele terá que ficar no Brasil durante algum tempo para preparar este material. Aproveito o ensejo para lhe dizer que tivemos ótimas indicações da Senhorita.

– Obrigada. Vocês têm aparelho de fax e e-mail?

[2] chá das cinco

– Temos.

– Então a Sra pode enviar os textos através deste endereço eletrônico, disse Alice, entregando-lhe um cartão de visitas. E se a Sra não se importa, eu vou indo porque ainda tenho outro compromisso.

– Antes que a Senhorita saia, eu quero de lhe explicar uma coisa – respondeu ela – com certo ar de mistério.

– Pois não – respondeu Alice.

Ela sentia-se curiosa e já um pouco impaciente.

– Está na hora do chá. Não gostaria de me fazer companhia enquanto terminamos a conversa?

Alice não quis ser indelicada com a nova cliente e respondeu que aceitava. Lembrou-se vagamente da personagem *Alice*[3] correndo atrás do coelho e daquela maluca tarde em que os animais tomavam chá, descrita na estória de Caroll. Nada fazia muito sentido naquele livro de história infantil!

– Então passemos para a outra sala.

Havia uma mesa redonda e as cadeiras eram em autêntico estilo Luiz XV. A governanta colocou as xícaras e serviu o chá, retirando-se em seguida. Alice sentia-se levemente ansiosa, mas procurava disfarçar, bebendo e observando a Senhora Stevenson. Concluiu que o estilo de vida dela e de seu marido indicava uma posição financeira muito estável.

– Aceita biscoitos com geléia? – perguntou ela.

– Para mim apenas o chá, obrigada.

A Sra Stevenson também a observava atentamente, como se quisesse ler seus pensamentos.

[3] Personagem de "Alice no país das Maravilhas"

– Pedi que viesse pessoalmente porque talvez este trabalho tenha um teor diferente dos outros que você tem feito. Não é propriamente uma tradução técnica, comercial ou literária.

Alice continuou sorvendo o chá, sentindo alívio porque finalmente a mulher voltara a falar de trabalho. Ela não via a hora de sair dali. Imaginem se começasse a sentir a tal vertigem de um momento para outro... Porém, não podia passar por mal educada e sabia que a inglesa pagaria bem pelo serviço.

– Nosso escritório atende às mais diversas solicitações e o resultado tem sido muito bom – respondeu ela confiante.

– Mas neste caso não é tão simples assim. Este trabalho terá que ser estritamente confidencial. É um aspecto muito importante para o projeto que estamos desenvolvendo.

Alice procurou conter ainda uma vez a curiosidade e sua rápida capacidade de assimilação para não atropelar as próprias idéias.

– Não sei se você está entendendo. Nós precisamos ter certeza de que este material vai ficar completamente fora do alcance de qualquer pessoa, uma vez que será posteriormente comercializado e ainda não foi patenteado – insistiu ela.

– Devo informá-la que é uma praxe nossa oferecer qualidade e segurança em relação a todo o material que recebemos. Eu digo isto tanto em relação ao original como à própria tradução. Além disso, temos uma boa estrutura, condição necessária para isto.

– Então você trabalha com mais alguém? – perguntou a inglesa – erguendo os olhos e arqueando as sobrancelhas.

– Sim, eu tenho uma parceira. Quando o volume de trabalho é muito grande e o prazo de entrega é curto, nós dividimos o serviço. Nos casos em que o volume é menor, eu faço sozinha. Mas a Sra pode ficar inteiramente tranqüila quanto à nossa ética profissional.

A inglesa olhou para Alice e parecia medir as próprias palavras. Sorveu mais um gole de chá e finalmente perguntou:

– Então você prefere fazer o trabalho na sua própria casa?

– Sem dúvida. Para mim seria muito complicado vir até aqui e deixar o escritório fechado.

– Neste caso tenho que falar com o meu marido e depois eu entro em contato com a Senhorita. Mas sinceramente, gostaria que o fizesse sozinha. Tivemos uma boa indicação da senhorita, mas, quanto à sua parceira, não sei se ele vai concordar.

Quando a Sra Stevenson se levantou mostrou seu porte altivo, com os cabelos presos no alto e as costas muito eretas. O olhar era firme e decidido.

Enquanto se dirigia para a saída Alice sentiu vibrar o celular.

– Graças a Deus! – disse para si mesma.

Mas ela não o atendeu de imediato. Era o Gabriel e ela sabia que ele ligaria de novo.

Estando já na rua, pode finalmente relaxar um pouco. Respirou fundo e enquanto caminhava rapidamente na direção da estação do metrô, o celular tocou novamente.

– Alô. Sim, eu senti vibrar, mas não podia atender ainda. Demorei porque a Sra Stevenson inventou de me oferecer um tal "chá das cinco" e eu não pude recusar. Mas ao invés de ser um chá agradável, ela já estava me deixando irritada.

– É mesmo? Bem afinal, ela é inglesa não? – respondeu ele – sorrindo. Mas por que você se irritou? Estava tão entusiasmada com esta entrevista!

– Eu estou indo para o metrô, agora. Podemos conversar mais tarde?

– Podemos, sim. Telefone para mim assim que chegar.

– Está bem. O que eu posso lhe adiantar é que esta visita e estes contatos foram muito estranhos para mim...

– Como assim?

– Depois eu explico. Mas fique tranqüilo que eu estou bem. Até mais!

Ela se dirigiu até a estação de metrô mais próxima e conseguiu apanhar uma composição, antes que o movimento intenso aumentasse vertiginosamente o fluxo de pessoas que costumam circular por ali diariamente.

Capítulo VII

"Muita calma nesta hora..."

*"Assim imaginando tais maluquices,
a travessa menina entrou num quartinho
que estava de porta aberta e viu sobre
a mesa do toucador um leque e um
par de luvas brancas."*

(Trecho do livro *Alice no país das maravilhas* de Lewis Caroll)

Vinte minutos depois Alice entrou no seu apartamento sentindo-se bem melhor. Chegara finalmente em seu porto seguro. Resolveu tomar um banho e comer algo antes de ligar para o Gabriel.

Estava sentada no sofá da sala, ao som de uma música reconfortante, quando o telefone tocou.

– Desculpe não ter esperado você ligar. Acabei ficando um pouco preocupado. O que houve, afinal? Você pode falar agora?

– Posso. Estava tentando me refazer um pouco. Eu achei aquela inglesa um pouco estranha, sabe? Ela está querendo exigir que eu vá fazer as traduções lá na casa deles.

– Mas por quê?

– Alegou que o material teria que ser mantido em sigilo.

– É estranho mesmo... Ela não disse mais nada a respeito do material?

– Disse. Mas os motivos que alegou não foram convincentes. – E o que você respondeu?

– Que iria ser difícil trabalhar assim. Então ela disse que ia conversar com o marido.

– E quanto ao resto, nenhum problema?

– Não. Mas eu ainda estou bastante tensa por causa desta história de "*vertigens*".

– Ouça, Alice. Você tem que se esforçar para se manter tranqüila e levar a sua rotina normal. Já falamos sobre isso.

– Eu sei. Mas na prática não é tão fácil assim. Depois daquele dia, fico muito ansiosa quando saio na rua.

– Mas nós já temos um esquema para as suas saídas. Bem, se tiver alguma novidade, você sabe que eu estou aqui.

Já passava das vinte horas quando Alice desligou o computador. Acessou a secretária eletrônica para pegar os recados, mas só iria respondê-los depois. Fez uma breve ligação para Sara e falaram somente de trabalho. Finalmente preparou-se para o banho e depois tomou apenas um copo de leite e foi se deitar.

No dia seguinte acordou disposta e trabalhou durante toda a manhã. Felizmente a inglesa ainda não ligara e ela se sentiu menos pressionada. Pensou seriamente no que Gabriel havia dito quanto a manter a rotina e, após o almoço, enquanto fazia a digestão, saiu para caminhar um pouco.

Estava com as idéias um pouco mais organizadas e decidiu tentar controlar melhor a ansiedade. E quanto à inglesa, quando ela fizesse contato, tentaria ficar mais calma e seria mais diplomática. E teria paciência porque sabia o quanto era importante atender o seu editor, dando uma atenção especial àquele casal de Londres. E, afinal de contas, ele havia depositado confiança nela, indicando-a e dando tão boas referências. Portanto não queria decepcioná-lo.

Voltou para casa e retomou o trabalho. Ela e Sara estavam concluindo a tradução de um livro e o prazo para a entrega estava no final. Parou por volta das 19 horas e repetiu o costumeiro ritual: banho, uma refeição leve e a música. Melhor que a tv, para relaxar. Sentada no sofá olhava à sua volta enquanto pensava no quanto havia lutado para conquistar seu próprio espaço, agora tão aconchegante, num lugar privilegiado como aquele. Lembrou-se do dia em que escolheu os móveis da sala, a cortina combinando e como a cor azul, muito suave, lhe dava a sensação de estar num pedaço do céu, como se fizesse parte da via-láctea.

Indo para o quarto, acendeu o abajur, presente das amigas e que, segundo elas, tinha a "sua cara". Sentia-se em paz e após trinta minutos de leitura – adorava Agatha Christie – começou a lembrar-se de Jan. Onde andaria? Ele nunca mais havia ligado. Provavelmente trabalhando. Trabalhando, trabalhando! Paciência, ele era assim mesmo!

Capítulo VIII

Voltando à vida real

"Que será de mim, meu Deus? exclamou Alice desconsolada, sem saber como sair daquela terrível situação."

(Trecho do livro *Alice no país das maravilhas* de Lewis Caroll)

Era uma quarta feira quando Alice abriu a geladeira e deu-se conta de que descuidara um pouco de sua vida real. Precisava fazer compras porque os alimentos que tinha em casa não seriam suficientes até o final de semana.

– Tudo bem – pensou – vou ao mercado agora cedo e volto rápido.

Lembrou-se que havia combinado de avisar o Gabriel quando saísse de casa, mas acabou relutando consigo mesma e concluiu que não fazia muito sentido. Será que seria justo incomodá-lo toda vez que precisasse sair? Além disso, voltaria logo e certamente nada lhe aconteceria.

Pegou a chave do carro e desceu para a garagem. Nem precisava fazer uma lista, compraria frutas, verduras e carnes brancas. Estava com saudades de fazer a própria comida. Nos últimos dias precisou comer alimentos prontos, para ganhar tempo.

Uma leve brisa anunciava a nova estação: a primavera. Estava pensando em dar mais atenção às suas plantas que, por algum tempo, tinham ficado esquecidas na varanda. Compraria também um pouco de terra adubada e vitaminas próprias para folhagens e flores. Iria renová-las com carinho para esperar a nova temporada.

Já entrava no carro quando uma tontura indizível começou a dominá-la. Tudo girava à sua volta e mal conseguia enxergar. O celular tocou, mas a sensação de torpor aumentou ainda mais e não deu tempo de atender. O chão foi se afunilando a sua volta e ela foi descendo, estranhamente, como se algum magnetismo a puxasse. Aos poucos a tontura foi cedendo lugar a uma lassidão que jamais sentira. Não era como o medo da primeira vez, mas algo como uma incontrolável sonolência.

Porém, ao mesmo tempo em que descia, tinha a sensação que algo a sustentava. Olhando à sua volta e descendo mais e mais pode ver uma névoa muito espessa e clara. Aos poucos a sua cor branca foi se transformando em um tom lilás, diáfano. A queda parecia não ter mais fim. Finalmente ela começou a visualizar uma cintilante luz púrpura e a mesma moça que vira da outra vez reapareceu diante dela, olhando-a com bondade.

Sentiu o chão embaixo dos pés, mas sem nenhum impacto. A luz foi se dissipando aos poucos e a névoa desaparecendo. Seu corpo parecia não responder quando tentou se aproximar da moça que estava a poucos metros dela.

– Espero que tenha feito uma boa viagem. Seja bem vinda e comece a se mover devagar. Como eu já lhe disse da última vez que esteve aqui, você está numa dimensão muito diferente da que existe no planeta terra e é natural que seu corpo demore um pouco a se adaptar.

– Onde estou? – perguntou ela enquanto mexia as mãos e movimentava lentamente a cabeça.

– No planeta Stella 2050. Há 2000 anos luz do planeta terra.

– Como?! Quanto tempo levou para eu chegar até aqui?

– A nossa dimensão temporal também é diferente em relação ao seu planeta.

– Mas quanto tempo?

Ela se sentiu dominar pela angústia. A moça não respondeu. Aproximou-se e pegou Alice pela mão. Voltando a coordenar os próprios movimentos, deixou-se levar por aquele estranho ser que não se comparava a nada do que ela jamais vira. De sua cabeça emanava agora uma luz áurea de um tom amarelo alaranjado, muito suave e ela caminhava com indescritível leveza. O toque de sua mão era delicado e macio. Caminharam um pouco e Alice sentiu-se reconfortada ao visualizar as flores do incrível jardim para onde se dirigiram.

– Como você se chama? Quero dizer, na sua *dimensão* vocês usam nome?

– Pode me chamar de Jéssica. Na nossa dimensão nós não falamos como vocês humanos. Nossa comunicação é através de ondas emitidas pelo pensamento.

– Nós chamamos isso de telepatia, se é que existe realmente. Mas como é que você está falando comigo?

– É uma simulação. Você tem a sensação de estar ouvindo a minha voz, mas ela é somente uma espécie de energia.

– Simulação, energia...! Para mim chega disto!! Quer saber de uma coisa? Você só pode estar maluca! Desculpe, mas eu não acredito em uma só palavra do que está dizendo.

– Não importa. Hoje eu vou lhe explicar qual será a sua tarefa.

– Já disse que não vou me submeter às suas imposições. Eu não acredito em seres invisíveis ou em missões secretas de outros planetas!

– Mas você há de convir comigo que aqui não é o planeta terra, respondeu Jéssica, tentando dissuadir Alice de sua incredulidade.

– Claro que não! Com certeza é o planeta Máquina de Fazer Loucos. Porisso eu não consigo mais andar na rua tranqüila, trabalhar, comer!! Que boa missão pode haver em toda essa insanidade?

– Procure me ouvir e poderá entender melhor. Vou exibir um vídeo sobre algo que está acontecendo no seu planeta. Mas infelizmente nenhum humano tem conhecimento disso. Você será a primeira pessoa que tomará conhecimento destes fatos.

Entraram num veículo voador de formato oval. Tinha cerca de três metros e meio e à sua volta havia luzes de várias cores, que se refletiam como se fossem faróis distribuídos em torno da nave. Olhando a seu redor Alice observou a névoa prateada que caia em todo o ambiente, agora como uma espécie de penumbra, ao fim de tarde. O veículo era incrivelmente veloz e em pouco tempo chegaram a um local parecido com uma pequena cidade. Desceram e se aproximaram de um edifício. As paredes externas eram de um material que se assemelhava a vidro espelhado. Na entrada havia uma cabine de comando. Jéssica digitou estranhos sinais num teclado de parede. A porta se abriu e elas entraram. A temperatura no interior do edifício era um pouco mais quente.

Ela acompanhava tudo e não podia, nem conseguia reagir. Algo como um elevador, num patamar ao fundo, levou-as para a parte superior. Finalmente outro ser apareceu: uma moça cuja cor de pele e cabelos não diferenciavam muito de Jéssica. Elas não *disseram* ou *vibraram* palavra alguma. Para desespero de Alice se comunicavam com olhares e gestos. Ela se sentia estúpida e prisioneira naquele local.

Capítulo IX

Um assalto à natureza

"Tais idéias eram tão novas para Alice, que ela se desnorteou por uns instantes e conservou-se calada."

(Trecho do livro *Alice no país das maravilhas* de Lewis Caroll)

A tela mostrou finalmente um homem moreno no meio de uma densa floresta. Seu vestuário era o de alguém que tinha se preparado para andar naquele ambiente. Camisa e calças camufladas, botas pretas e um boné na cabeça. Ele estava colhendo mudas de vegetação. Tirava-as cuidadosamente, tendo o cuidado de não danificar a raiz e conservando junto das mesmas um torrão de terra. Em seguida ele as colocava em um saquinho para depois acondicioná-las em um recipiente.

Demonstrando saber muito bem o que estava fazendo, o homem continuava andando, observando e parando para colher as plantas. Após algum tempo ele parou de recolher as amostras, colocou o frasco em uma grande mochila e caminhou em direção a uma barraca, não muito distante dali. Guardou a mochila lá dentro e saiu novamente. Começou a reunir gravetos e quando já tinha o suficiente acendeu uma fogueira. Estaria assim a salvo das feras, no meio daquela mata cerrada. A noite desceu e Jéssica encerrou a transmissão, desligando a tela.

Alice observara tudo e presumiu que aquelas imagens tinham sido colhidas em um local em que havia uma flora e fauna riquíssima, talvez a Amazônia. Mas o que ela tinha a ver com tudo aquilo? E porque teriam filmado aquele homem? Enquanto fazia estas perguntas para si mesma, Jéssica e a outra moça, que parecia sua auxiliar, se comunicaram por olhares e gestos novamente. Mas agora não conseguia perceber nenhum som e isso a exasperava ainda mais. Finalmente Jéssica se voltou para ela e disse:

– Como você pôde ver, há um homem colhendo mudas de plantas raras na região da Amazônia. Boa parte dela se localiza nos limites do seu país. O problema é que estas amostras estão sendo desviadas ilegalmente para o exterior e os fins para os quais serão utilizadas não são nada louváveis.

– Uma rede de laboratórios envolvido e muito lucro ilícito – deduziu Alice em voz alta.

– Exatamente.

– E como vocês descobriram isso? Além do mais, o que eu, uma simples tradutora que não entendo nada de planas medicinais ou de tráfico ilegal tenho a ver com tudo isso?

– Mais do que você imagina. Um dos principais suspeitos de ser o mentor e talvez executor desta idéia é exatamente o marido da inglesa que você esteve visitando recentemente.

– A inglesa? Como assim? E como vocês sabem que eu estive lá?

– Já sabemos que parte do material extraído foi exportado para a Central de Laboratórios Whitman. Eles elaboraram pesquisas sobre o poder de cura de diversas plantas e agora este material está voltando para o Brasil para ser produzido por seus cúmplices daqui. E é a você que eles estão recorrendo para traduzir o material.

– Como vocês sabem que sou eu a tradutora?

– Nós temos um sistema de informações muito avançado.

– E, porisso se acham no direito de invadir minha privacidade? E o que eles pretendem fazer com o material, após ter sido traduzido?

– Há fortes indícios de que eles estão pretendendo manipular a matéria prima aqui. Na concepção deles sai mais barato e o risco é menor. Mas eles não estão agindo dentro dos parâmetros da lei do seu país. E também estão ferindo importantes cláusulas referentes às leis de proteção ao meio ambiente. Além disso, eles querem que as fórmulas sejam feitas em inglês e espanhol. Pelas informações que temos, o esquema todo já está pronto.

– Ei, mais uma pergunta: aqui é o Planeta Marte ou uma Central de Investigações Criminais Disfarçada??

– Nem uma coisa nem outra. Apesar de toda a ironia e indignação de Alice, Jéssica jamais perdia a calma.

– Tudo bem, já entendi. Mas é obvio que se eu me recusar a fazer o trabalho, haverá uma dúzia de outros profissionais dispostos a assumi-lo. Além disso, já que vocês tem poderes tão incríveis, porque não mandam uma mensagem telepática para a própria polícia? Vocês desmontariam o esquema rapidamente, dando as pistas certas.

– Pode não parecer, mas não é tão simples assim. Você acha que a polícia se daria ao trabalho de decifrar mensagens vindas de outro planeta? Esqueceu que todo o trabalho de investigação é estritamente científico?

– Se isto aqui é realmente um lugar tão avançado vocês deveriam dispor de recursos científicos superiores aos nossos e...

Jéssica a interrompeu com o olhar. Aquele olhar não era realmente humano, pensou Alice. Tinha um formato alongado, mas nada que se assemelhasse aos retratos falados dos Ets que ela já vira, casualmente, em revistas. Pelo contrário. O brilho era diferente, a cor era opaca. Estava cada vez mais intrigada.

– E se eu me recusar a ajudar? – perguntou finalmente.

– Temos que aceitar o risco. Ao contrário do que você pensa, nossos mentores não quebram a ética obrigando alguém a agir segundo nossos pontos de vista. Temos que encontrar soluções inteligentes para tentar impedir que os inconseqüentes humanos usem sua inteligência para arquitetarem planos malignos. Caso contrário estaríamos nos assemelhando a eles.

Estas foram suas últimas palavras. Alice teve que "engolir" a crítica interplanetária porque, afinal de contas, a tal Jéssica tinha razão quanto aos humanos...Novamente a névoa tomou conta do ambiente, desta vez num tom azul esverdeado, leve e diáfano.

Capítulo X

Mais que uma simples amizade

"Ora, graças que mudou de assunto!" pensou Alice. Gosto de decifrar enigmas e adivinhações."

(Trecho do livro *Alice no país das maravilhas* de Lewis Caroll)

Alice se sentia como se acordasse de um sono profundo. O seu corpo estava quente, em estado sub febril. Olhou em volta e viu o rosto de Gabriel que estava sentado a seu lado. Seu semblante demonstrava apreensão e carinho ao mesmo tempo.

– Finalmente, querida! Você está bem?

– Sim, estou bem. Mas o que estou fazendo nesta cama?

– Você foi encontrada desacordada no estacïonamento do supermercado. O segurança encontrou o número do meu celular na sua agenda e me ligou. Eu achei melhor trazê-la para o hospital porque você estava demorando para voltar a si. Tive que inventar uma estória dizendo que você anda esgotada demais. Mas o médico insistiu, dizendo que você deveria ficar em observação e também pediu uns exames.

– Tudo bem. Só que eu quero sair daqui agora! Precisamos conversar.

– Calma! Nós vamos embora daqui a pouco. Deixe o médico liberar. É óbvio que você vai confirmar tudo o que eu disse e concordar em providenciar os exames.

A enfermeira entrou e mediu novamente a pressão e o pulso de Alice.

– Posso voltar para casa agora?

– Sim. Os pedidos de exames e a receita estão com o Sr. Gabriel.

– Obrigada, disse ela, levantando-se lentamente. Seu amigo a ajudou, com a dedicação de sempre. Ambos já estavam no carro quando ele, sorrindo, perguntou:

– Como foi de viagem Senhorita?

– Não tão mal, desta vez. Pelo menos agora eu já sei o que *elas* querem de mim. Mas vamos conversar no meu apartamento.

– Está bem. Só que desta vez eu não vou deixar você sozinha. Confesso que fiquei muito preocupado. Além disso, você não cumpriu sua palavra, avisando-me que ia sair.

– Desculpe, eu não queria lhe dar este trabalho. Mas acabou sendo pior.

– Não precisa pedir desculpas. Eu sei que você não vai querer ir para minha casa. Então pelo menos, aceite minha companhia. Pelo menos esta noite.

Ela confiava plenamente em Gabriel. Sabia que ele jamais a molestaria. Nem em condições normais, tanto mais agora que sabia o quanto ela estava perturbada.

– Está bem, pode ficar comigo esta noite.

Chegando em casa Alice tomou um banho quente enquanto Gabriel preparava um chá. Em seguida sentaram-se na sala e enquanto tomavam a bebida reconfortante ela lhe contou a louca aventura que vivera no planeta Stellium.

– Só peço que não me pergunte o que pretendo fazer. Estou cansada e não consigo mais raciocinar. A impressão que eu tenho, agora que sou obrigada a admitir que estive lá, é que durante estas viagens eles praticam em mim uma espécie de hipnose antes de eu voltar. Porque esta lassidão é inexplicável... Estou com muito sono ainda. Você sabe como é aquela sensação de sono atrasado?

– É possível que eles lhe apliquem algum calmante magnético para que você fique mais tranqüila ao voltar.

– Calmante magnético? E isto existe? Só você, mesmo! Bem, você sabe onde estão as mantas. Apesar de estarmos entrando na primavera, ainda esfria um pouco no meio da noite. Tenha um bom descanso.

– Você também.

Alice adormeceu em poucos segundos. Mas Gabriel estava cada vez mais perturbado. Não sabia até quando conseguiria fazer o papel de amigo dedicado. Começava a perceber que seu sentimento por ela não era mais uma simples amizade. Tentou relaxar e adormecer, mas a presença dela, tão próxima esta noite deixava-o completamente desestabilizado. Resolveu, ele próprio, pedir ajuda a seu anjo da guarda. Era um homem que tinha muita fé. Fora muitas vezes ridicularizado pelos amigos por ser assim, mas assumia inteiramente o que sentia dentro de si. Sua amiga Alice era bastante cética, mas isso não prejudicava a amizade que tinham. Pelo contrário, o modo de pensar diverso de ambos os unia ainda mais porque havia um profundo respeito entre ambos.

Conversou longamente com seu amigo invisível, e adormeceu finalmente. Tanto o dia quanto a noite tinham sido longos e cansativos demais.

Lá fora o céu estava estrelado apesar da leve brisa fresca, que prenunciava chuva. A cidade, que nunca dorme finalmente se aquietara um pouco. Já anoitecia. Tudo o que se ouvia era o apito do guarda noturno, que soava religiosamente, tentando proteger a cidade.

Capítulo XI

Onde estará Alice?

"– Você não pode imaginar
como estou contente por vê-la
de novo, minha querida!"

(Trecho do livro *Alice no país das maravilhas* de Lewis Caroll)

A Sra Stevenson sentou-se na confortável poltrona e descansava um pouco quando seu marido chegou.

– Você conversou com o Sr. Miller? – perguntou ele.

– Sim, mas estou preocupada.

– Por que?

– Porque ele disse que não pode esperar mais e ontem eu passei a tarde toda tentando contatar a Sta Alice e não consegui. Só pude deixar recado, mas ela ainda não ligou.

Teve o cuidado de olhar à sua volta. Era o que fazia sempre que falava com o marido sobre esse assunto. Mesmo conversando em inglês, sempre procurava se certificar de que ninguém ouvia. Receava que a governanta estivesse por perto e pudesse desconfiar de alguma coisa. Ela tinha noções do idioma e aprendia sempre mais, através da convivência. O marido, percebendo sua inquietação, abraçou-a e falou:

– Não se preocupe tanto. Se ele ligar de novo diga que você está tomando as providências. Ele sabe que somos eficientes e que teremos o lucro garantido. Além disso, eu já trabalhei demais hoje e prefiro não falar sobre este assunto agora.

– Você tem razão. Eu também estou cansada e com dor de cabeça.

– Por que você não toma uma aspirina?

– É o que eu vou fazer.

O Sr. Stevenson foi pegar seu pijama para tomar um banho e ela se dirigiu ao armário, procurando a caixa de remédios. A governanta entrou na sala e perguntou se podia servir o jantar.

– Sim, dentro de dez minutos – respondeu, sem olhá-la.

Tomaria o comprimido depois que se alimentasse. Voltou a seus pensamentos, embora procurasse manter-se tranqüila aos olhos do marido. Sabia que se oferecesse mais dinheiro para Alice ela iria estranhar e isto não a convenceria a vir trabalhar na sua casa. Teria que pensar um pouco mais e estar preparada para as perguntas dela. Olhava em volta como se estivesse procurando uma solução.

O marido saiu do banho e percebendo seu ar ausente, perguntou:

– Ainda preocupada?

– Não. É que eu estou realmente indisposta. Vamos jantar.

Enquanto comiam se limitaram a falar sobre coisas corriqueiras. Em seguida sentaram-se na sala de TV e depois de uns trinta minutos ele começou a cochilar. Ela continuava pensativa, mas não queria deixá-lo preocupado. Sabia que o seu cargo de responsabilidade, os contatos com todos os outros empresários estrangeiros envolvidos e a continuidade do projeto estariam ameaçados se alguém que não fosse da confiança deles viesse a desconfiar ou questionar o esquema.

No dia seguinte, por volta das 9 horas o telefone tocou. A fiel governanta, sempre muito prestativa avisou que a Sta. Alice estava na linha.

– Bom dia. Eu estava aguardando a sua ligação. É que o material já está conosco e preciso saber se podemos dar início ao trabalho. Você pode vir aqui por volta das 11 horas?

Alice resolveu concordar em trabalhar na casa da inglesa, mesmo porque, por enquanto, não tinha alternativa. Gabriel estava na sala lendo o jornal. Ela foi preparar o café.

Mais tarde, foi recebida pela governanta da Sra. Stevenson a qual logo a avisou que a patroa tinha sido acometida por uma forte dor de cabeça e que as instruções estavam no escritório. A casa era grande. Alice seguiu a Sra., que lhe indicou o caminho e limitou-se a fazer sua tarefa sem pensar muito no assunto. Havia um grande rol com nomes de plantas para ser traduzido. Trabalhou a tarde toda.

Ao chegar em casa descansou um pouco e em seguida pegou um livro para ler. Duas horas depois tomou um copo de leite e resolveu deitar mais cedo. Mas antes de fazê-lo ficou algum tempo olhando através da janela do seu apartamento, parada perto do parapeito.

A paisagem urbana era a mesma de sempre, mas as imagens que ela via através dos prédios mostravam apartamentos com luzes acesas e por vezes vultos distantes se movendo através delas, mostrando sinais de vida.

Sentou-se um instante no sofá, pensativa. A cena que visualizara num relance lembrava-lhe quantas pessoas não teriam saído de casa pela manhã, voltando somente agora. Quantas delas não teriam levado em seus corações esperanças de poder realizar suas tarefas com êxito e depois retornavam para casa com a sensação de ter cumprido seus deveres e o desejo de prosseguirem suas vidas na direção de seus objetivos e sonhos?

Sabia que entre elas, muitas haviam se defrontado com problemas ou obstáculos inesperados, alguns deles de difícel solução. Quantas destas pessoas não estariam agora tentando refazer seus espíritos, protegidas dentro do aconchego de suas casas, para no dia seguinte começar tudo de novo, rumo a seus próprios destinos? Sairiam outra vez enfrentando a cidade grande, cada vez mais violenta e perigosa, levando em seus corações pequenos ou grandes projetos. Algumas delas almejavam tão somente sobreviver de maneira decente e digna. Outras tinham "vôos" mais altos e eram mais ambiciosas.

E Alice era particularmente sensível às pessoas simples, cuja credulidade era pura e desprovida de sofisticações e cujo universo era mais limitado porque os recursos lhes tinham sido negados pelas próprias condições de nascimento... Sabia que elas poderiam trabalhar durante toda a vida e talvez nunca conseguissem mudar essas condições. Discordava um pouco quando o Jan dizia que todos poderiam obter resultados iguais na própria vida. Porque cada caso é um caso. Fazer o que? É claro, existem pessoas que se esforçam e outras não. E também concordava com Jéssica, se é que podia fazê-lo, estando no juízo da sua razão, quando esta criticou os humanos.

Fazia muito tempo que não rezava. Não era propriamente atéia, mas tinha se desiludido muito quando Jan partiu. Sabia que aquele emprego era muito importante para ele. Porém sofreu demais quando ele a deixou. Não poder ligar e não poder ouvir a sua voz ainda era motivo de angústia para ela.

Capítulo XII

Santuário Intocável

"Logo na entrada do jardim havia uma enorme roseira coberta de rosas brancas, que três jardineiros estavam apressadamente pintando de vermelho".

(Trecho do livro *Alice no país das maravilhas* de Lewis Caroll)

Paul era inglês, mas estava radicado no Brasil há mais de dez anos. Era graduado em biologia, estudou também homeopatia e farmácia. Tinha também profundos conhecimentos de medicina fitoterápica. Fez vários cursos na Inglaterra e também no Brasil, quando veio morar neste país.

Mais tarde, seu currículo invejável tinha decidido sua contratação pela empresa inglesa. A princípio ele iria apenas analisar o material colhido. Mas após uma longa entrevista com os Stevenson, resolveram admiti-lo para o projeto desde que aceitasse fazer, ele próprio, a coleta do material e a sua manipulação inicial. Tudo deveria ser catalogado, a princípio em inglês e depois seria traduzido.

Desta maneira o casal poderia patentear o material. Mas Paul não sabia que as atividades eram ilícitas, mesmo porque sua formação e caráter não permitiriam que ele trabalhasse em um projeto com um esquema desta natureza. Recebera uma educação que primava sempre pela honestidade. Se soubesse das falcatruas que envolviam todo o negócio certamente teria se recusado a participar.

Era extremamente meticuloso e não gostava de cometer erros. Fazia tudo com muita dedicação, não só pelo fato de ser especialista no assunto, mas também porque ele próprio era apaixonado pela natureza. Sabia que a coleta exigia um procedimento ritualístico: precisava fazê-la na hora certa por causa das condições climáticas e outros fatores técnicos. Cuidava disso acreditando plenamente que, se a floresta era um santuário, tocá-la equivalia a dizer uma prece... E Paul realmente gostava do que fazia.

Trabalhou muito tempo com remédios alopáticos e demorou em acreditar na verdadeira cura através das ervas. A princípio, muito cético, tinha sérias reservas a este tipo de tratamento, principalmente quando utilizado para tratar doenças graves. Mas foi convencido a mudar de idéia depois da cura de um familiar. Ainda assim, sabia que a alopatia era também muito importante. Sua metodologia era inteiramente científica e fazia tudo com primor.

Morava na cidade, numa casa térrea onde mantinha o laboratório e toda a estrutura para o cuidado com as plantas e sua manipulação. A primavera estava no ápice do seu esplendor. Paul olhou para o jardim do lado de fora e lembrou-se da filha.

Após a separação, procurava estar com ela todo o tempo que podia. Era o consolo para a solidão que sentia quando ele interrompia seu trabalho, no final de cada dia. Sempre esperava ansioso a chegada do dia em que poderia revê-la. Era o consolo para a solidão que sentia quando ele interrompia seu trabalho, no final de cada dia. E felizmente, na semana seguinte, parte do material estaria pronta para ser enviado para a Inglaterra.

Alice sentou-se para dar os últimos retoques na tradução que estava fazendo junto com sua amiga Sara. Agora que estava se dedicando também ao trabalho da Senhora Stevenson, teria que dividir muito bem o tempo. Sara continuava exigente como sempre e ela fazia tudo para preservar aquela parceria. Sabia o quanto era difícil associar-se a alguém que possuísse as qualidades dela: competente, responsável, dedicada e também flexível nas situações em que surgiam problemas no trabalho.

Além disso, sabia separar a vida profissional da pessoal e isso facilitava as coisas. Porém, como a amiga às vezes não entendia muitas bem as motivações pessoais de Alice, ela nem sempre podia se confidenciar com Sara, da maneira como gostaria.

O telefone tocou e era justamente a amiga e sócia: queria pedir para Alice fazer uma revisão geral porque não concordava com alguns termos que ela usara.

– Você acha que esta expressão não traduz bem as idéias neste trecho do texto?

– Não. Poderíamos usar uma outra, mais adequada. Só que eu não estou conseguindo me lembrar.

– Neste momento eu também não. Mas pode deixar que eu vou verificar.

– Você pode terminar tudo para amanhã?

– Creio que sim.

Alice desligou o telefone e voltaram ao trabalho. Estava inteiramente exausta. Trabalhava com cerca de dez dicionários e era obrigada a fazer uma ampla pesquisa, sempre que se deparava com um termo ou expressão pouco usual ou muito técnica.

Esta era a etapa final e ela preferiu continuar trabalhando tanto quanto pudesse. A elaboração deste livro tinha sido particularmente cansativa. No íntimo ela sempre achou muito mais interessante traduzir textos literários propriamente ditos que os técnicos.

Os últimos eram mais maçantes. No entanto ela precisava trabalhar e sobreviver, não podia fazer apenas o que gostava. Mas os literários, estes sim eram muito mais agradáveis e envolventes. O último romance em que trabalharam era particularmente atraente pela originalidade e engenhosidade de seu autor. Fosse como fosse, era sempre muito bom ver o resultado final, quando tudo ficava concluído.

O telefone tocou novamente e Alice atendeu, sonolenta.

– Você ainda está acordada?

– Quem é?

– Sou eu, o Gabriel. Eu estava um pouco preocupado. Está tudo bem?

– Sim. Precisei dar os retoques finais na tradução do livro. Mas acabei cochilando em cima do computador.

– Para que trabalhar tanto? Vá descansar. Falaremos depois, então.

– Você tem razão. Agora já tenho certeza de que vou conseguir cumprir o prazo de entrega e poderei ir para a casa da Sra Stevenson amanhã, na parte da tarde.

– Eu acho melhor você "cumprir o prazo" de preservar a sua saúde, isto sim! Imagine, dormir em cima do computador! Lembre-se do que combinamos...

– Sim, senhor! Não precisa ficar bravo. Já estou indo para a cama.

– Amanhã vou lhe fazer um convite. Ligarei à noite, está bem?

Alice concordou e foi se preparar para deitar. Mal caiu na cama, adormeceu em poucos segundos. Acordou cedo e voltou ao trabalho. Lembrou-se do que Gabriel dissera e começou a sentir-se curiosa. Que tipo de convite ele iria lhe fazer? Não costumava ser tão solene com estes assuntos...

Capítulo XIII

Voltando aos velhos tempos

"Que lindo livro dariam estas aventuras em que ando metida. Que pena não escreverem assim!"

(Trecho do livro *Alice no país das maravilhas* de Lewis Caroll)

Paul estava terminando de catalogar as últimas amostras quando a sua ex-mulher lhe telefonou. Ela estava aborrecida porque a filha reclamava a ausência do pai. Recentemente esta o convidou para uma festa na escola, mas ele não foi, alegando falta de tempo. E nos últimos finais de semana ela mal lhe falou por telefone.

Paul ouviu tudo o que Ellen, a mãe da menina, tinha a dizer e prometeu que no próximo final de semana iria buscá-la para fazerem um passeio diferente, "algo especial", disse ele. Ele realmente precisava pensar em alguma coisa inédita porque estava sentindo muitas saudades da filha e queria tornar este encontro particularmente interessante para ambos. O passeio também o ajudaria a distrair um pouco a mente do trabalho intenso dos últimos meses.

Além do mais, ele sabia que quando tivesse que enviar a próxima remessa de amostras, seria outro período terrível. Odiava pensar que tanto trabalho pudesse afastá-lo de Karen. No fundo, ela era a razão de tudo isto: seu empenho e eficácia seriam um exemplo para a filha no futuro. Era triste pensar que não pudera dar a ela um lar feliz ou pelo menos estável. Mas agora era tarde para pensar nisso... Ele resolveu folhear as páginas do jornal, na seção de turismo, para ver o que encontrava.

Alice pensou em fazer uma surpresa para Gabriel passando na sua casa após voltar das compras. O fato de não ter mais sido solicitada a fazer as *tais viagens* deixavam-na mais tranqüila e confiante.

– Fiquei tão curiosa com a estória do convite que ao invés de esperar o seu telefonema resolvi aparecer, disse ela, através do interfone.

O coração de Gabriel bateu mais forte. Ela subiu rapidamente pelo elevador e apertou a campainha.

– Entra. Que bom que você veio. Queria mesmo falar-lhe.

– Então pode começar.

– Eu quero convidá-la para fazer um longo passeio.

– Como assim?

– Mais exatamente: levando em conta que você não tira férias há tempos e o quanto anda cansada eu gostaria de lhe propor uma viagem, disse ele, sem mais rodeios.

– Seria ótimo! Mas você se esqueceu que eu tenho uma parceria e que não posso decidir nada sem dar a ela uma satisfação?

– Não, não esqueci. Mas nós teremos um feriado na quinta-feira e, se fôssemos viajar, poderíamos prorrogá-lo.

– Quinta feira próxima? Sem chance!!! Ainda mais agora que a inglesa está contando comigo praticamente em tempo integral, duas vezes por semana. E o pior é que a Sara não sabe que eu estou trabalhando para ela. Sinto muito, mas eu não posso me ausentar, Gabriel.

O entusiasmo dele foi murchando como uma minúscula flor sob um sol escaldante. Mas ainda assim ele resolveu insistir.

– Puxa, para quem não queria se comprometer com o plano extraterrestre, você está realmente dedicada... Psicólogo que era, ele estava acostumado a argumentar sem perder a empatia com as pessoas.

– Não se trata disso. E o meu trabalho e a minha responsabilidade?

– Calma, não precisa se irritar. É só um convite e o lugar é maravilhoso. Um amigo meu esteve lá e gostou muito.

Gabriel já a conhecia melhor do que a si mesmo e sabia que quando ela se recusava a fazer algo, era preciso tato e cuidado para conseguir convencê-la a mudar de idéia. Porém ele era realmente mestre no relacionamento com as pessoas e sabia que precisava, mais uma vez, respeitar seu estado de espírito.

A experiência que ela estava vivendo era muito esquisita e mesmo ele, com toda a sua vivência na clínica, jamais vira algo parecido. Além do mais era a única pessoa em quem ela podia realmente confiar. Não deveria, em hipótese alguma permitir que um atrito criasse um clima desagradável entre eles.

E a verdade era que ele próprio também estava precisando relaxar, talvez falar com alguém... Pela primeira vez, diante de tudo aquilo, começava a se sentir muito pressionado: tinha que ser lógico ao lidar com o problema e ao mesmo tempo, administrar seus próprios sentimentos. Não estava sendo fácil. Mas felizmente a sensatez, que era sempre sua aliada, fez com que pensasse em outra idéia. Por ora ele iria apenas sugerir um cinema, talvez ainda aquela noite, e depois voltaria ao assunto da viagem, num outro momento.

– Isto sim, é uma ótima idéia. E depois, você sabe que eu adoro cinema. Fazer passeios curtos é melhor para mim agora. E desculpe-me pela cena, está bem? É claro que eu preciso relaxar e descontrair, estou parecendo uma anti-social, ultimamente. Minhas amigas até se afastaram de mim – respondeu ela – tentando se justificar.

– Sem problemas. Talvez você é que tenha se afastado delas – disse ele no mesmo tom de sempre, um misto de carinho e simpatia.

– Eu sei, você tem razão. Mas eu não consigo mais me imaginar num momento de descontração como antigamente. Com o espírito leve e solto, a falta de compromisso, a verdadeira ingenuidade de quem pode cometer erros e em seguida volta atrás para corrigi-los!

Gabriel não queria voltar à carga questionando o que ela dizia. Mas pensava consigo mesmo que o ser humano não só pode cometer erros, como também precisa deles para evoluir. Lembrou-se do que havia lido em um livro de filosofia budista. O autor ao falar sobre sentimentos como a compaixão, explicava seus pontos de vista em relação aos ciclos cármicos evolutivos e sobre como os monges se comportavam em relação a determinadas experiências como sofrer as conseqüências de uma guerra.

Eles recebiam um treinamento para lidar com as emoções e também tinham valores totalmente diferentes dos ocidentais que vivem no sistema capitalista. Para eles o sentimento de auto-estima e autovalorização não estavam ligados ao fato de terem poder aquisitivo ou bens materiais como casa, carro, geladeira, computador, telefone fixo e celular e em alguns países mais desenvolvidos até uma "robozinha" de última geração para fazer o serviço doméstico. Desta forma, seus valores eram diferentes, pois não estavam constantemente assediados pela mídia e pela publicidade agressiva, a qual invade as cidades e os lares. Aqueles orientais desconheciam o sofrimento provocado por este tipo de frustração. Ele explicou que os monges budistas tinham sentimentos de auto consideração baseados no que eram como seres humanos e não naquilo que possuíam.

Até mesmo quando estavam em combate, sua postura era diferente. A derrota não era absorvida pelo emocional como fracasso pessoal, causando sérios danos psicológicos e neurose, como ocorre com os soldados americanos, os quais são fortemente movidos pelo sentimento de ufanismo patriótico.

– Tudo bem, caríssima – respondeu ele, finalmente – então vamos fazer de conta que entramos na máquina do tempo e que você está vivendo de novo aqueles memoráveis momentos de despreocupação. Em que cinema vamos? – perguntou ele.

– Você é quem sabe. Há um jornal aí para vermos a programação?

– Sim. Há um filme no cine Damasco que parece muito bom.

– Qual?

– "Uma mente brilhante" – para ser mais exato "A beautiful mind" no original. Que significa "uma mente bonita". Eles sempre fazem isso com as traduções. E se você está dizendo que o filme é bom...

– Não, não sou eu que estou dizendo. É a crítica. Além disso, foi ganhador de nada mais nada menos que oito premiações do Oscar.

– Uau!! Mas como é este filme?

– Ele sabia exatamente o que Alice ia dizer. Sabia também que ela procurava sempre assistir bons filmes. Costumava comentar que se fosse para ver babaquices preferia ficar em casa ou fazer qualquer outra coisa.

– Podemos passar no meu apartamento para que eu possa me arrumar?

– Claro!

– Finalmente lá estavam eles como duas crianças comprando pipocas e refrigerantes, rindo e esquecendo todos os problemas. A sessão foi maravilhosa, perfeita! Eles não conseguiam desgrudar os olhos da tela nem por um segundo de tão envolvente que era o enredo. Quando o filme terminou Alice pensava na mensagem que a história transmitia. Era tão edificante que certamente serviria para o restante de sua vida. Enquanto entravam no carro ela comentou isso com Gabriel.

Ele também havia gostado muito do filme. No entanto estava um pouco distraído e pensativo. A presença dela, seu perfume e a vontade de tocá-la tinham-no deixado perturbadíssimo. Alice notou seu distanciamento e perguntou-lhe se estava bem. Respondeu que era apenas cansaço, porém ela observou também que ele tinha um aspecto um pouco triste. Ao voltarem para casa Gabriel não quis subir e se despediu rapidamente, agradecendo a companhia.

Capítulo XIV

Alice cede finalmente

"– Pode ter a bondade de me dizer, Sra Duquesa, por que motivo o seu gato faz caretas?"

(Trecho do livro *Alice no país das maravilhas* de Lewis Caroll)

Paul folheava o jornal quando viu o endereço de uma pousada perto de Florianópolis. Aquele parecia ser o lugar ideal para descansar com sua filha. Ligou para o hotel e pediu as informações sobre o local e sobre as reservas. Após anotar tudo combinou de confirmar nos próximos dias. Falaria primeiro com a filha. Apesar dela ser pequena, ele gostava de discutir tudo, democraticamente. Além disso, talvez por ser filha única e conviver mais com adultos, era muito esperta e já tinha algum senso crítico para ajudá-lo a decidir. Quem melhor que uma criança para saber como se divertir?

Ele já se animava quando ligou para ela.

– Um passeio bem longe, papai? Boa idéia. Aqui está tudo muito chato. A cidade está sem graça, não tem animais. Lá vai ter animais?

– Você quer dizer cavalos?

– Sim. Ou mini zôo.

– Cavalos sim. Mas quanto a outros animais eu ainda não verifiquei. Você quer dizer pacas e outros bichos do gênero?

– Pacas? Ah sim, aqueles bichos de traseiros redondos que eu vi no sítio da amiga da mamãe. É mesmo!! Tem esse bicho lá, pai?

– Na verdade, filha, eu ainda não sei exatamente como é o local. Estou pesquisando.

– Posso ir aí ajudar você?

– Não, filha. Uma viagem longa tem que ser bem preparada.

– Bom pai, de todo jeito eu não faço tanta questão de ir para um lugar que tenha esses bichos diferentes como também jacaré.

– Eu sei, eu sei – disse ele rindo. Nós vamos para uma pousada, filha, e não para um zoológico.

– Ah, pai, você disse que ia ter natureza!

– E vai! Você vai ver.

Karen já estava viajando através da imaginação. Paul ficou feliz com o entusiasmo dela.

– Vamos fazer o seguinte: eu vou verificar tudo com a agência e depois eu te ligo para você.

– E eu vou contar para as minhas amigas.

Sua filha levava muito a sério a maneira como ele a consultava antes de tomar decisões daquele tipo. Ela se sentia importante com isso e ligava para as amigas para comentar o assunto. Isso a ajudava também a formar uma opinião. Seu pai até gostava que fosse assim porque ela não tinha irmãos e ele sabia que isso era bom para que desenvolvesse uma sociabilidade sadia.

Alice passou várias horas na casa da inglesa. Apesar de se sentir aliviada, estava estranhando que não tivera mais vertigens e nem... Bom, melhor nem pensar nisso. Quem sabe tudo aquilo não fosse um pesadelo ruim que já tinha acabado?

Mas e se tudo começasse de novo? Iria poder concluir seu trabalho? Enquanto pensava nisso o celular tocou. Era um outro cliente e ela voltou ao mundo real. Atendeu rapidamente porque estava no trânsito e pediu para que ele ligasse mais tarde, para o escritório. Já voltava a seus pensamentos quando o celular tocou novamente. Era Sara.

– Onde você esteve a tarde toda?

– Atendendo a um cliente.

– Quem?

Sara continuava intrigada com os sumiços da amiga.

– Depois eu explico. Agora estou no trânsito.

Ela não podia realmente comentar a respeito do que estava acontecendo, pelo menos, não por enquanto. E Sara não era a pessoa mais adequada para este tipo de confidência.

Alice chegou em casa e ligou a TV. Mas como não havia nada de interessante ela desligou, passando para sua estação predileta de FM. Mas até as músicas que a agradavam tanto, hoje lhe pareciam as mesmas de sempre e não conseguiam distraí-la. Colocou o último CD que comprara, era realmente muito bonito, mas naquela noite nada parecia ter graça.

Ela estava ficando cada vez mais entediada e refletia sobre alguns aspectos que tornam inútil esta sociedade pós-moderna. Se por um lado ela realmente nos oferece tantos recursos tecnológicos, por outro apenas nos engana quando pensamos que podemos nos divertir muito só porque estamos cercados de tanta parafernália e tecnologia avançada.

A verdade é que ela estava exausta e irritada ao mesmo tempo, mas não queria admitir. O telefone tocou finalmente e Alice suspirou aliviada. Era melhor falar com alguém de carne e osso do que ficar envolvida naquele entediante mundo eletrônico. Atendeu. Era Gabriel. Conversou com ele de maneira receptiva e, a uma certa altura, pediu para ele aguardar um pouco.

Abriu seu guarda-roupa e pegou a velha e querida blusa marrom, vestindo-a em seguida. Sentiu-se mais confortável, porém não reconfortada em relação a seus sentimentos de vazio interior.

– Que bom que você ligou. Senti sua falta estes dias.

– Eu também. Você está ocupada? Posso ir até aí, se você quiser.

– Se eu quiser? Quero sim. Não estou fazendo nada de importante e está uma noite muito chata.

– Como aquelas aos domingos à tarde?

– Pior. Nada de interessante para fazer...Um tédio total.

– Eu darei uma passada por aí, se você quiser. Posso levar uma pizza e um vinho para tomarmos, conversar, enfim...

– Pode vir. É uma ótima idéia. Mas peça uma massa leve. Se quiser, pode ligar para uma pizzaria aqui perto de casa que é muito boa. E para a sobremesa podemos pedir uma, vejamos...

– Uma torta holandesa?

– Excelente. Estarei esperando por você.

Ela era magra e elegante e se esforçava para não abusar da alimentação. Não era fácil, dizia. E ele não sabia como ela conseguia manter aquela disciplina. Ligou em seguida para a pizzaria. Queria chegar rapidamente. Quem sabe era esta a oportunidade para falar de novo sobre a viagem?

Alice não teve a preocupação de se arrumar para esperá-lo. Ele era sempre o velho e fiel amigo e preferia ficar com suas roupas folgadas e macias, o conjunto de moletom confortável, próprio para usar em casa.

Gabriel, ao contrário se preparou, vestindo um jeans novo e uma camisa que o fazia sentir-se mais atraente. Algumas vezes Alice notava quando ele se arrumava melhor. Mas ele sabia que isso nunca significou um interesse maior por parte dela. Passou um perfume com tons de madeira e saiu em seguida.

Quando chegou, não se surpreendeu ao encontrá-la tão à vontade. Ela o recebeu com um beijo no rosto e um comentário sobre o seu perfume. Ele entrou em silêncio, enquanto a observava. Estava linda, apesar dos trajes caseiros, a seus olhos era sempre muito bonita. Parecia ainda mais natural e espontânea quando a via nestes momentos em que estava sozinha na sua intimidade.

Porém, mal ele havia entrado, o telefone tocou. Ela atendeu e ele logo percebeu que era o Jan porque ela ficou pálida e parecia querer desligar logo.

– O que houve? – perguntou, quando ela terminou de falar.

– Nada. Eu só acho que ele nem deveria me ligar. Você já sabe quem é, não?

– Seu ex?

– Sim. Justamente hoje que eu já não estava muito bem.

– Porque você não desligou? Não deveria ficar escutando as coisas que ele tem para dizer se isto não te faz bem.

– É verdade, não devia. Mas eu não quis ser grosseira. Além disso, fazia tempo que não conversávamos.

Gabriel sabia que, no fundo, embora não admitisse, ela ainda gostava dele. Ficou irritado. Por que ele teria ligado, exatamente agora? Alice lhe ofereceu um café que ele aceitou de bom grado. Enquanto bebiam ele perguntou o que havia acontecido. Respondeu que passara o final de semana sem conseguir relaxar, que tudo estava muito sem graça. Saira para dar uma volta no shopping, mas tudo o que vira tinha sido a mesma insólita paisagem urbana de um fim de semana na cidade e que nem a idéia de assistir a um filme do Bruce Willis a animara. Ele riu quando ela mencionou o ator e respondeu com o mesmo bom humor de sempre.

– Talvez porque eu não estivesse lá com o mesmo arsenal de pipoca e refrigerantes que levamos na última vez que fomos juntos.

– É verdade, aquele dia estava muito bom. O filme, a companhia. Mas hoje fui acometida por uma daquelas crises de tédio que esvaziam qualquer pessoa, sabe? Uma espécie de angústia existencial.

– A qual é perfeitamente curável.

– E o que não é curável para você? Perguntou ela sorrindo.

– Talvez alguns tipos crônicos de "baixo astral".

– Lá vem você...

– Sabe a que estou me referindo. Ao mau humor. Mas isso também tem cura, hoje em dia.

– Eu sei. Mas creio que não é o meu caso. Talvez eu esteja pior.

Ele aproveitou a oportunidade e resolveu falar da viagem. Ela começou a considerar a possibilidade e disse que iria pensar. Também teria que falar com Sara e se fosse o caso, se prepararia com antecedência. Poderia explicar para a inglesa que não tirava férias há mais de dois anos e certamente ela iria entender. E depois, não ficariam muitos dias.

Aos poucos a simples idéia de saírem para um lugar diferente, com uma exuberante paisagem natural em volta, aliada a um toque de aventura, começou a envolvê-la, deixando-a mais animada. Enquanto conversavam, a hora passou de maneira que nem notaram e ela se acalmou bastante, melhorando em seu estado de espírito.

Ele também ficou alegre e a perspectiva de estarem juntos, durante vários dias, aumentava sua expectativa. Olhava-a com carinho e sua respiração, às vezes, ficava ofegante.

Porém Alice não correspondia e parecia nem ter notado sua perturbação.

Capítulo XV

Um grande passeio: começando os preparativos

"Era o coelho branco que regressava, esplendidamente vestido, tendo numa das mãos um par de luvas e na outra um leque."

(Trecho do livro *Alice no país das maravilhas* de Lewis Caroll)

Alice havia esquecido, pelo menos temporariamente a onda de mau humor que a tinha acometido, no último final de semana. A animação de Gabriel fez com que ela se sentisse melhor e mais leve. Só de pensar que ela poderia sair um pouco daquele ambiente, respirar o ar mais puro de um local esverdeado e esquecer o relógio em casa, tudo isso fazia com que se sentisse mais alegre e descontraída. Resolveu começar a pensar nas malas, enquanto Gabriel cuidava das reservas. Separaria roupas esportivas e depois de fazer um levantamento do que dispunha em casa, compraria alguma peça para complementar o guarda roupa da viagem.

No dia seguinte pela manhã ligou para Sara e ficou aliviada com a reação dela.

– Claro que eu concordo que você vá. Está precisando mesmo sair daqui para arejar a cabeça! Disse-lhe a amiga em tom de cumplicidade.

– E afinal de contas, acho que você está aliviada porque poderá livrar-se de mim por alguns dias, não está? Pode falar a verdade! – respondeu Alice, rindo.

– Como é que você adivinhou? Só de pensar que vou poder dizer não aos clientes chatos, que você insiste em atender quando está por perto...

– Os clientes chatos precisam ainda mais de atenção do que os demais...

– Eu sei, eu sei. Estou brincando... Mas quando é que vocês viajam?

– Ainda não marcamos a data. Mas o Gabriel se encarregou de cuidar das reservas para nós.

– Então me avise quando você souber – disse Sara – sentindo um certo alívio porque sabia que a amiga e sócia estava realmente precisando de uma folga para espairecer. Ela ainda estava bastante preocupada com o que acontecera, mas não entendera nada. Porém não quis ser insistente, já que Alice não quis mais falar sobre o assunto. E, afinal de contas, ela era uma pessoa lúcida, apesar de imaginativa. E ultimamente andava estranha e cheia de mistérios.

De todo modo seria bom que ela saísse um pouco. Enquanto isso, não lhe custava nada cuidar de tudo sozinha. Quando ela voltasse, retomariam o ritmo normal.

– Então, já que você está de acordo, eu vou começar a preparar as malas.

– Está bem. Se precisar de algum palpite sobre o que levar, me avise.

Alice deu uma olhada no seu guarda-roupa e em seguida, como a noite estava quente, resolveu ir até o shopping para fazer umas pesquisas dos preços das roupas. Gostava de comprar peças boas que duravam mais tempo, desde que não fossem muito caras. Sabia que acabava economizando. Não queria deixar nada para a última hora. Decididamente, estava deixando de ser avoada. Afinal de contas, ela *nem se chamava* mais *Alice*...!

Começou a olhar as vitrines, provou algumas roupas e já se sentia como se estivesse fora de São Paulo. Adorou uma calça, verde e esportiva, que certamente combinaria com uma blusa preta que já tinha em casa. Mas ia precisar também de um par de tênis. De preferência, também pretos. Sim, porque combinaria com várias roupas e era uma cor básica.

Queria comprar também um conjunto "esporte chic", poderia ser uma espécie de terninho, que vestiria a noite, para jantar. Simples, mas uma peça também essencial e bonita, e que combinasse com o seu estilo despojado. Experimentou uns três, mas não gostou de nenhum. Finalmente encontrou um conjunto amarelo 'palha', de tecido leve, e que lhe caiu muito bem. Resolveu também comprar algumas bijuterias finas, com pequenas pedras delicadas, que combinassem com o conjunto novo.

Ela estava eufórica com as compras e com a viagem e quase dançava consigo mesma. De repente começou a sentir a cabeça um pouco tonta. Suas pernas começaram a amolecer e ela resolveu ligar rapidamente para Gabriel.Mas como não conseguiu falar com ele, ligou para Sara que ficou preocupadíssima.

– Você quer que eu vá até aí?

– Não, não. Não há necessidade.

– Você tem certeza? – insistiu a amiga.

– Tenho. Pode ser que seja a minha pressão. Está muito calor. Ou talvez a própria agitação da viagem.

– Então vá comer alguma coisa agora mesmo! – Não, de novo não, pensou Sara, consigo mesma. Será que ela vai ter aquele "treco" estranho?

– Tudo bem, estou indo comer.

Foi até a praça de alimentação e pediu um sanduíche reforçado e um suco natural. Estava quente demais para jantar. Quando começava a comer, o celular tocou novamente. Era Sara outra vez.

– Você está melhor?

– Mais ou menos... Acabei de pedir um lanche.

– Ótimo. Escuta, não me custa nada dar uma passada aí. Estou mesmo querendo comprar uma sandália.

– Então venha.

Ela continuava sentada, embora o mal estar estivesse desaparecendo. Olhava à sua volta e observava as pessoas andando e vendo vitrines, outras comprando coisas e algumas simplesmente comendo.

A vaga lembrança do Jan veio à sua mente. Eles costumavam sair, viajavam juntos e se entendiam perfeitamente bem. Até que um dia ele lhe disse que precisava ir embora para outro estado, por motivos de trabalho. Insistiu para que ela também fosse, depois que ele se fixasse no local. Mas ela teve receio de arriscar, uma vez que seu escritório estava indo de vento em popa. Tiveram que se separar e aos poucos o relacionamento foi esfriando.

Mas a separação foi pior do que ela imaginava e o mundo 'ruiu' em cima de sua cabeça. Demorou muito para se acostumar com a idéia. Por que era tão difícil esquecer alguém? Ficou ali pensando, até que, sentindo-se melhor, levantou-se e voltou a caminhar pelo shopping enquanto esperava a amiga, que certamente ligaria assim que chegasse no local.

Capítulo XVI

A biomalandragem

"Moveu-se enquanto falava,
e ouviu lá embaixo um
farfalhar de árvores."

(Trecho do livro *Alice no país das maravilhas* de Lewis Caroll)

Enquanto isso resolveu entrar em uma livraria grande e começou a folhear alguns lançamentos. Depois de um certo tempo o telefone tocou e era Sara que já havia chegado no shopping e estava tentando localizá-la. Combinaram um lugar e de repente Alice viu de relance um título em uma revista.

Meio ambiente: A biomalandragem

Resolveu comprar a revista imediatamente e sem seguida sentou-se para dar uma rápida folheada.

Tráfico de animais do Brasil rende mais de um bilhão de dólares por ano

E as plantas?!? pensou ela. Plantas, animais...!!! A depredação era selvagem e estava realmente acontecendo no mundo real. Então toda aquela *estória* da Jéssica poderia ser mesmo verdadeira! Tinha que admitir que agora ela estava envolvida até o pescoço. Mas achou melhor guardar a revista na bolsa e ir ao encontro da amiga, aparentando tranqüilidade. E, tão logo pudesse, leria a reportagem e discutiria o assunto com Gabriel.

Sara chegou em seguida e elas foram caminhar um pouco, parando em algumas lojas para escolher a sandália. A amiga comentou que tinha ficado assustada quando ela ligou, mas Alice já estava refeita. Falavam sobre moda e generalidades quando o telefone tocou novamente.

– Onde você estava este tempo todo? Estou tentando falar com você há mais de duas horas e não estou conseguindo.

– Eu estava fazendo as compras para a viagem e a Sara resolveu vir ao meu encontro. Ela preferiu não mencionar o mal estar.

– Posso passar na sua casa mais tarde?

– Claro! Vou te mostrar as roupas que comprei. E quanto ao local para onde vamos? Você já definiu?

– Sim.Você se lembra de uma pousada da qual lhe falei em Florianópolis?

– Uma na qual você esteve o ano retrasado?

– Isto mesmo... Saiu uma reportagem sobre o local na Revista "Belas Paisagens". Se quiser eu levo para que você possa ter uma idéia, hoje à noite.

– Ótimo. Assim eu aproveito para lhe mostrar uma coisa que comprei.

Ela era curiosa, mas Gabriel não ficava atrás. Ele se despediu do seu pessoal no consultório e saiu rapidamente. A ansiedade por vê-la fez com que já começasse a pensar na roupa que usaria aquela noite. Quando ele chegou em sua casa decidiu que usaria verde e preto.

Sabia que ela gostava destas cores. Alice sempre dizia que o verde era ecológico e o preto clássico. E tinha razão. Menina de bom gosto. Trocou-se após o banho e perfumou-se com a colônia Uccello Azurro. Ela costumava dizer que quando ele usava aquela colônia deixava rastros de homem no ar. Mas todas as observações que fazia em relação à sua aparência eram sempre impessoais e amistosas.

Quem sabe hoje ela reagiria de maneira diferente? Entrou em seu carro entusiasmado com a viagem e a esperança que trazia no coração. Lembrou-se de um amigo que dizia que é melhor "duas esperanças do que uma única certeza..."

Já fazia calor naquela época do ano. O verão estava mostrando sua força no ar, muito mais seco e quente, o que, de uma certa forma provocava euforia nas pessoas, que saíam de casa à noite para buscar distração. Mas logo eles estariam fora daquele ritmo agitado.

Quando chegou, ele a encontrou sentada no sofá folheando uma revista. Deu-lhe um beijo no rosto, mas ela parecia preocupada. Gabriel mostrou-lhe a revista com a reportagem sobre a pousada. Era um local incrível e pertencia a um casal. Ele arquiteto e ela decoradora. Com certeza não se arrependeriam do passeio.

– Eu também tenho uma revista para lhe mostrar. Veja isto!

Gabriel começou a ler a reportagem. Os dados eram reveladores e surpreendentes. "Das 616 espécies de aves catalogadas na região do rio Juruá, na Amazônia, pelo menos 50 já havia sido pirateadas por ladrões nacionais e estrangeiros." A reportagem não citava nomes mas fazia graves denúncias. Era o início de uma série que traria mais informações sobre o assunto. Explicavam como a presença humana no Alto Juruá tinha criado um efeito parecido com o das enchentes e das tempestades que fazem o papel de pequenas catástrofes naturais, devastando a região.

Dizia que o efeito dos roçados e caminhos abertos nos seringais era semelhante ao da morte sazonal de bambuzais ou da devastação provocada por grandes tempestades, as quais abrem clareiras nas matas e criam novos refúgios para a vida. Pelo menos 10% da composição atual da mata já teria sido alterada pelas antigas populações indígenas. Dentro desta lógica, cerca de 20% dos animais já teriam sido extintos.

Alice o observava, enquanto ele lia a reportagem. Quando finalmente terminou, ele comentou que sabia de tudo aquilo e que infelizmente a biodiversidade e a devastação da Amazônia não estavam realmente recebendo a atenção devida por parte da sociedade.

– Você já sabia? – perguntou ela surpresa.

– Sim. Desde quando você começou a ter *aqueles lapsos* eu andei pesquisando um pouco mais este assunto.

– E por que você não comentou comigo, sobre a pesquisa?

– Para que você não ficasse ainda mais perturbada. Mas realmente a situação do Amazonas é motivo de temor e preocupação.

– Obrigada por me poupar, disse ela em tom irônico. A partir de agora eu vou acompanhar esta série de reportagens, mesmo enquanto estivermos fora.

– Claro. Você deve mesmo acompanhar. Mas vamos falar da viagem, disse ele tentando quebrar o clima desagradável que começava a se formar.

– Eu também sabia que havia biopirataria. Porém nunca me atentei para o fato de que a situação pudesse ser tão grave. Mas de qualquer forma, você devia ter me falado. Não me deixar preocupada...! Sinceramente eu não consigo entender estas suas atitudes. Às vezes você me trata com se eu fosse uma imbecil.

– Ora Alice, você é que está se comportando como se fosse uma criança! Podemos voltar a falar da viagem, por favor? Eu vim aqui para isso.

– Tudo bem, falemos da viagem. Mas por favor, não omita mais nenhuma descoberta que fizer, nas suas pesquisas.

– Fique tranqüila, eu não omitirei mais nada, prometo.

Capítulo XVII

A natureza ao vivo

"Assim meditava, ponderando (tanto quanto podia, pois o calor a deixava sonolenta e entorpecida) se o prazer de tecer uma grinalda de margaridas valeria o esforço de levantar-se e colher as flores..."

(Trecho do livro *Alice no país das maravilhas* de Lewis Caroll)

Alice acordou bem mais calma aquela manhã. Tão calma que tinha vontade de "esticar o tempo" ficando na cama para poder aproveitar melhor seu primeiro dia de férias. Elevou os braços para cima, preguiçosamente e lembrou-se que precisava escrever para um velho amigo que morava no exterior. Ele não abria mão dos tradicionais métodos de comunicação os quais chamava de "la vecchia posta"[1]. Sim, ela também gostava disto, nestes tempos em que as pessoas desta caótica sociedade pós-moderna só se comunicavam por telefone ou e-mail.

Claro que a tecnologia 'high tech' era um grande avanço para a humanidade e estas inovações traziam muitos benefícios, tendo realmente revolucionado as sociedades e os comportamentos. Mas o risco que as pessoas estariam correndo de se isolar, vivendo uma vida compartimentada e privada de um contato mais humano, era algo preocupante. Os toques, a proximidade, não deveriam na sua opinião, ficar em segundo plano nas relações entre as pessoas.

Quando podia, nas manhãs dos finais de semana, e principalmente durante o inverno Alice costumava acordar e preparar um café caprichado com queijo e frutas, levando-o para seu quarto e permanecendo um pouco mais de tempo embaixo do calor confortável das cobertas. Aproveitava para recarregar um pouco as baterias, tentando tirar o cansaço da semana. Colocava uma música e, enquanto terminava de se alimentar, aproveitava para atualizar a correspondência pessoal.

E depois era muito bom ficar aguardando a resposta. Quando recebia as respostas das cartas, ficava admirando sua letra incrivelmente linear e bonita, digna de elogios por parte de quem as lesse. Adorava receber notícias de longe, pois sempre traziam alguma novidade interessante do país de onde recebia a correspondência ou dos amigos comuns.

Além disso, ela tinha uma linda coleção de postais enviados por ele e por outros amigos. Nos dias mais gelados ela ficava apreciando a coleção e era como se estivesse "viajando o mundo" através daquelas pequenas relíquias preciosas.

Mas hoje ela não iria escrever para seu amigo. Até porque o calor do sol já aquecia docemente sua janela e seus raios começavam a envolver seu quarto, entrando, com discrição, pelas suas frestas. Era como se houvesse uma festa no ar, esperando por todos os seres vivos que quisessem festejar e ser felizes. Alguns dias são pródigos em nos dar estes presentes vindos através da embalagem trazida pela própria natureza.

Ficou, durante algum tempo, recordando seu sonho. Ele estava cheio de imagens difusas e contrastantes. Tentou juntar as partes como peças de um quebra cabeças e percebeu que havia cenas de uma certa agitação e outros símbolos ainda, talvez menos significativos. Pensou que Gabriel tinha razão em dizer que era importante cultivar a vida interior e refletir sobre a própria intimidade e aspectos pessoais e que infelizmente as pessoas só faziam isto nos momentos de crise. Mas ultimamente ela ficava confusa porque quando começava a se interiorizar, logo vinham as lembranças dos "*sumiços contra sua própria vontade*" e ela perdia um pouco o discernimento de si mesma.

Mas apesar disto, estava bem. Então se levantou, e começou a fazer as atividades do dia, bastante animada.

Paul ligou para sua filhinha e combinou de passar lá para irem fazer compras.

– Nós vamos viajar ainda esta noite, papai?

– Vamos.

– Puxa, que bom, que bom! – disse ela, enquanto pulava pela casa.

– Bem, e já que vamos, lembra-se que você tinha se comprometido a me ajudar?

– Lembro. Só que eu tive um problema. A mamãe não deixou as minhas coisas prontas e eu estou chateada. Pedi uma mala nova e também não comprou. Parece que ela não está dando a mínima para a minha viagem...!

Ele sabia que a ex-mulher andava super ocupada. Médica e chefe do Departamento de Cardiologia, tinha pouco tempo para dar atenção à filha. Fizeram um acordo aparentemente civilizado na época em que se separaram, mas, na prática, tudo parecia bem mais difícel.

Muitas vezes a menina ficava por conta da empregada que dormia na casa. Ela era dedicada, mas todo o seu desvelo não substituía a presença da mãe que estava sempre às voltas com seus plantões. Porém não adiantava questionar isto agora. Sua filha ficaria ainda mais triste e o problema não se resolveria.

– Então vamos ver as roupas que você tem para colocar na mala, antes de irmos fazer as compras.

– Papai, será que você não entende? Eu fiz uma lista de coisas que não vão caber nesta mala. Além disto, ela está velha! Temos que comprar outra!

Paul disfarçou a vontade de rir pela seriedade com que sua filha tratava uma questão tão simples. Finalmente ele a olhou, perguntando:

– Posso ver esta lista? Como ele já esperava, era enorme, parecia que iam passar um ano fora de casa. Ao mesmo tempo ficou admirado ao perceber que a filha não esquecera um só detalhe.

– Quem escreveu isto para você?

– Eu e a Flávia. A moça era uma espécie de baby sitter, governanta, amiga e conselheira da casa. Felizmente, porque nem ele nem sua ex-esposa podiam dar conta de tantas responsabilidades profissionais e os compromissos que envolviam os estudos da pequena e todas as outras mil e uma tarefas que uma família demandava. E Paul procurava mesmo estar presente, mesmo na ausência, principalmente por causa das circunstâncias que se impunham.

– Está bem, então vamos comprar logo essa mala e terminar de arrumar tudo. Mas você terá que tirar algumas coisas da lista porque senão sua bagagem ficará muito volumosa. Enquanto ela protestava ele pegou a chave do carro e saíram depressa.

Finalmente chegou o dia tão esperado. Tudo pronto, Paul e a pequena pegaram um táxi para o aeroporto. Sua filhinha, mais animada do que nunca, fazia um milhão de perguntas. Queria saber o que era alfândega, como fariam depois que descessem do avião etc, etc. Paul respondia a tudo com paciência e a tratava com muito carinho. Já no vôo, ele a cobriu com uma manta leve e a pequena acabou adormecendo. Ela estava totalmente vencida pelo cansaço, depois de toda aquela agitação. Foi somente então que Paul aproveitou os momentos de tranqüilidade para ler um pouco.

Capítulo XVIII

Um lugar realmente encantador

"... e a segunda é achar o caminho daquele jardim encantador. Não desisto de conhecer este jardim".

(Trecho do livro *Alice no país das maravilhas* de Lewis Caroll)

Alice acordou muito cedo para que tudo corresse da forma mais tranqüila possível. Queria tomar um café leve, e iria começar a "rezar", se é que ainda sabia fazê-lo, para que não surgisse nenhum imprevisto de última hora, tipo *rapto de extra terrestre,* exatamente agora, quando o momento da viagem se aproximava. Enquanto pensava nisto, preparava seu café descafeinado e tentava esquecer o medo tolo que surgira de repente.

O telefone tocou e era Gabriel, do outro lado da linha.

– Tudo certo?

– Talvez! Como dois e dois são cinco.

– O que houve desta vez? – perguntou ele, tornado-se já um pouco apreensivo.

– Por enquanto nada. Mas estou com medo de ter alguma reação estranha hoje. Imagine se eu estiver dentro do avião ou sei lá onde e....

– Mas você está sentindo alguma coisa?

– Não, apenas fome. Ainda não tomei o café da manhã.

– Então o que está esperando para ir comer e parar de pensar bobagens? – respondeu ele, tentando não se irritar. Acho que estes pensamentos devem ser os últimos a passarem pela sua cabeça neste momento. Ou você quer atrair coisas desagradáveis, justamente hoje?

– Não, não estou querendo atrair nada, pelo contrário, não vejo a hora de embarcar tranqüila.

– Então vá logo tomar o seu café. Eu vou passar por aí daqui a pouco.

– Está bem – respondeu ela, ficando mais tranqüila.

Gabriel iria deixar o carro estacionado em uma das garagens do prédio de Alice. Tocou o interfone e logo em seguida subiu para chamar um táxi e ajudá-la com a bagagem. Ela estava incrivelmente linda: de calça jeans tipo saint tropez e uma camiseta preta com desenhos de flores e folhagens lilás, e um discreto "Nature is life, life is nature" estampado na camiseta. O tênis novo, também preto, era leve e confortável. E o perfume, ah o perfume, Calendre um de seus prediletos e que hoje parecia enlouquê-lo ainda mais.

Ele a beijou no rosto de uma forma mais suave e demorada do que de costume. Alice estranhou sua atitude e pela primeira vez começou a notar que ele estava diferente. O que estaria acontecendo? Resolveu não se inquietar, mas notou que ele também havia caprichado muito na aparência. Entraram no táxi e ela lembrou-se que não tinha comprado a revista para que pudesse acompanhar a série de reportagens.

– Nós a apanharemos no aeroporto – disse Gabriel, com um sorriso feliz nos lábios. Pela primeira vez era como se, finalmente, ele a tivesse só para si. Mas, embora verdadeiramente não fosse fácil, não queria se deixar levar pela ansiedade. Sabia que precisava continuar apoiando-a, e felizmente agora ela parecia muito bem. Em todo o caso, quem sabe não pudesse surgir alguma oportunidade especial?

Era ainda muito cedo quando Paul e sua filha chegaram na cidade de Florianópolis. A menina fazia mil perguntas e comentários. Seu pai, paciente, esforçava-se para satisfazer toda a sua curiosidade.

– Puxa pai, este lugar é mesmo muito lindo. E é diferente dos outros onde nós costumamos ir, disse a pequena.

Paciente, Paul aproveitou para explicar que aquela era uma região com características diferentes, em relação à região onde moraram. Costumava aproveitar quando surgia uma ocasião como aquela, em que tinha mais tempo para lhe dar atenção, explicando-lhe coisas que ajudariam na sua educação. Mas como era um assunto muito complexo, precisava usar uma linguagem simples e à altura da compreensão dela.

– O Brasil é muito bonito, não é papai?

– Sim, filha, é muito bonito.

– Quando eu contar para as minhas amigas! Eu vou poder telefonar para elas?

– Sim. Mas talvez seja melhor mandar cartões postais. Antes de qualquer coisa, vamos chegar na pousada. Depois que passearmos um pouco e almoçarmos, vamos verificar quando poderemos ir até o centro da cidade.

– Eu também quero comprar uma lembrança para a minha mãe.

– Claro, claro.

Alice e Gabriel chegaram finalmente. Ele a olhou novamente com olhos de paixão, um sentimento que agora já convulsionava seus pensamentos e emoções, mais do que nunca em tempos anteriores. E ela, notando a mudança nas atitudes dele, começava a ficar cada vez mais pensativa.

Mas não conseguia ver aquele relacionamento tão antigo tomando outro rumo. E nem visualizar a possibilidade de nascer algo mais em seu coração do que o enorme respeito que tinha por ele.

Em todo caso, iria prestar mais atenção às suas reações, já que estariam juntos o tempo todo. Só esperava que esta situação também não viesse a atrapalhar o passeio tão esperado por ambos.

A Ilha do Papagaio, local de destino de ambos, ficava na baía da Pinheira, município da Palhoça, a 31 km de Florianópolis, Santa Catarina. Quando desceram do carro que haviam alugado, Alice se sentiu vislumbrada com a beleza do local. Surpresa, não esperava encontrar um lugar com tanto conforto e paz ao mesmo tempo e cuja natureza se mantinha intacta. Sem a presença de certos seres humanos estúpidos. Aqueles cuja forma de pensar era errônea e nefasta e achavam que progresso era o que, para ela, não passava de destruição. Em nome da modernidade deixavam que as nossas origens e santuários naturais desaparecessem, como se a tecnologia por si só pudesse nos trazer felicidade e plenitude. E o pior: era tudo por causa de dinheiro!

Enquanto entravam Alice permanecia muda em suas reflexões e Gabriel parecia, como sempre, ler cada um de seus pensamentos. Já na portaria resolveram optar por uma deliciosa cabana com duas camas de solteiros. A viagem, a expectativa e toda aquela vislumbrante paisagem tinham despertado o apetite de ambos e após terem acomodado a bagagem, desceram até o restaurante para almoçar.

Escolheram uma mesa perto de uma janela que dava de frente para uma das lindas paisagens que se descortinavam no local e logo que se sentaram o garçom se aproximou. Alice continuou observando o ambiente a seu redor, ali tudo parecia ter sido feito com muito amor e dedicação e ficou imaginando quem seriam os proprietários. Na mesa ao lado havia um casal de jovens, talvez alemães e à sua frente um homem com uma pequena menina. Ambos comiam e conversavam animadamente.

Capítulo XIX

Estranha coincidência ou uma surpresa do destino?

"Provou-o com a ponta da língua; achou-o gostoso. Provou mais e acabou bebendo tudo (de fato era apenas um licor de cereja muito bom)."

(Trecho do livro *Alice no país das maravilhas* de Lewis Caroll)

Enquanto Gabriel falava com o garçom ela voltou novamente o olhar para o rosto do homem e da pequena criança, que parecia ser sua filha. De repente seu coração começou a disparar descompassado e ela virou-se sobressaltada para Gabriel, que, tendo notado sua agitação, ficou também um pouco espantado. Discreto, ele esperou que o garçom se afastasse, após lhe dizer que quando tivessem escolhido o chamariam novamente.

– Algum problema, Alice?

– Você não vai acreditar...! Está vendo aquele homem que está almoçando com aquela garotinha loira?

– Sim, estou. O que foi?

– É ELE, o rapaz das minhas visões! É ELE, TENHO CERTEZA!!

– Calma, procure pensar melhor, talvez você esteja equivocada.

– Não, não estou equivocada. É ele mesmo! A barba, o rosto e o olhar são inteiramente idênticos aos que eu vi no *filme* que a Jéssica me mostrou. Logo agora que eu estava conseguindo esquecer toda esta história.

– Tudo bem, Alice, tudo bem. Escuta, procure manter a tranqüilidade, pois do contrário alguém poderá perceber algo estranho no seu comportamento.

– Sim. E mais uma vez, eu é que vou passar por maluca...!

– Não foi isto que eu quis dizer. Procure respirar fundo, vamos escolher a comida e depois que estivermos alimentados nós nos afastaremos daqui para conversar. Eu só acho que não devemos perder o controle, exatamente agora.

Alice olhou de novo para a mesa em que Paul se sentava. Ele sorria e a menina falava muito, estavam felizes e "normais", bem ali na sua frente. E ela, ela que finalmente parecia ter encontrado um pouco de paz e serenidade por alguns dias naquele lugar paradisíaco, será que nunca mais teria sossego?

– O que você quer comer?

– Qualquer coisa. A esta altura, qualquer coisa! – disse ela começando a ficar angustiada e já com os olhos marejados de lágrimas. – Acho que nem quero mais ficar neste lugar.

– Calma, não vamos nos precipitar. Antes de qualquer coisa, eu vou pedir nossa refeição. Depois veremos o que fazer.

– Está bem. Mas por favor, escolha você mesmo o cardápio. Eu estou sem condições de pensar.

– Pode ser um peixe ao molho branco, com salada de legumes e arroz? Esta, feita com palmito me parece bastante boa.

– Sim, pode ser. E um vinho, por favor. Branco, para acompanhar o peixe. E para que eu possa suportar tudo isto sem enlouquecer de uma vez.

Enquanto chamava novamente o garçom, Gabriel dirigiu seu olhar para o homem loiro, o qual ouvia, compenetrado, a garotinha que ria e falava sem parar, enquanto comiam. Seria possível, pensou ele, que o mesmo personagem das *visões* de Alice estivesse ali, em carne e osso, materializando finalmente algo que parecia tão inacreditável e impossível de se ponderar? Justamente ali, no mesmo lugar onde acabavam de se hospedar? De qualquer forma, se fosse realmente verdade, talvez agora as coisas começassem a tomar um outro rumo.

Enquanto ele pensava nisso e encomendava o cardápio, Alice não se conteve e olhou de novo para Paul. Ele era realmente um homem muito bonito: cabelos loiros, já um pouco grisalhos, traços de estrangeiro, olhos claros esverdeados e demonstrava uma aparência calma e distante ao mesmo tempo. Era como se só existissem ele e a garotinha, pensou ela, tornando-se pálida. Desviou o olhar para a janela, com medo que ele a notasse e percebesse sua perturbação.

Gabriel começou a ficar preocupado com a tensão crescente que parecia dominá-la. Depois que almoçassem teria que tirá-la dali, antes que as coisas piorassem ainda mais. O garçom começou a servi-los. Ela começou a comer e a beber o vinho, permanecendo em silêncio. Após alguns minutos Paul e a filhinha se levantaram e passaram ao lado da mesa onde eles estavam sentados. Seus olhos se encontraram com o de Alice, que sentiu seu coração bater ainda mais descompassado. Pai e filha saíram do restaurante sem perceber nada do que estava acontecendo.

– Meu Deus, como ele é bonito, disse para si mesma, enquanto Gabriel provava o peixe delicioso, sem fazer nenhum comentário.

A beleza de Alice também não passara despercebida a Paul que estava acostumado a viagens e encontros com pessoas e mulheres de todo o tipo. Mas naturalmente ele imaginou que Gabriel não fosse apenas um amigo e talvez porisso tenha desviado o olhar rapidamente.

Subiu com a filha até a cabana em que estavam hospedados e ele propôs um descanso enquanto a menina ficaria lendo os gibis que tinham comprado durante a viagem. A pequena concordou e ele se deitou, começando a cochilar em poucos minutos.

Alice bebeu vinho e comeu à vontade enquanto Gabriel, mais racional do que ela em situações de tensão tentava coordenar as idéias. Ela já estava alegre quando ele perguntou se queria pedir mais alguma coisa.

– Veja se eles têm alguma coisa light. Já exagerei na comida e no vinho – disse ela rindo bastante. Mas foi bom. Quem sabe, se eu ficar mais pesada, *as extraterrestres* não consigam mais me raptar.

Gabriel pediu a sobremesa e ela continuava rindo, aparentemente sem motivo algum. Ele a ouvia com paciência.

– Porque você não chama o loiro bonitão aqui para "levarmos um papo" e perguntarmos logo que história é esta de rapto de plantas? É só passarmos na portaria e verificarmos o número do chalé dele. Ou será que ele está em uma cabana como a nossa?

– Por favor, Alice, contenha-se! – disse ele firme, mas com delicadeza.

– CONTENHA-SE, CONTENHA-SE! Sim general – disse ela, batendo continência.

Ele sentiu que precisava tirá-la logo dali. O restaurante estava relativamente vazio, mas ela estava se tornando inconveniente e acabaria chamando a atenção das pessoas presentes.

Afinal de contas, eles tinham acabado de chegar e se Alice viesse a provocar um vexame no local, tudo ficaria estranho e comprometedor, pelo resto da sua estadia na pousada. Além disso, pelo 'andar da carruagem', esta situação nova era só o começo do que ainda estaria por vir.

– Vem, vamos caminhar um pouco.

– Caminhar um pouco? Não, não! Já que você não quer chamar o 'bonitão', eu prefiro ir para o quarto dormir.

– Tudo bem! Vamos andar só uns quinze minutos e depois iremos para o quarto, certo?

Alice caminhava devagar, meio cambaleante e aos poucos a euforia ia diminuindo. Enquanto isso, Gabriel começava a formar uma linha de raciocínio que parecia ter uma certa coerência. Mas só iria conversar com ela depois que melhorasse bastante e também se estivesse mais calma.

Após caminharem durante algum tempo chegaram a um local em que havia bancos e uma mesa de pedra, embaixo de um quiosque. Havia também muitas plantas e flores nativas e aos poucos ambos foram se tranqüilizando e se deixando envolver pela beleza do local. Alice sentou-se a seu lado recostou a cabeça no seu ombro. O efeito do vinho ainda não tinha passado totalmente, mas ela estava consciente.

Queria acreditar que aquele lugar de sonhos pudesse lhe trazer bons momentos e até livrá-la de seus problemas e angústias. Deixou-se contagiar pela atmosfera suave que o verde e as flores exalavam e até pelo aconchego que o ombro do amigo lhe oferecia. Hoje ela precisava dele mais do que nunca.

Gabriel olhava em volta, enquanto suas mãos acariciavam suavemente os cabelos de Alice. Estava louco para levá-la para o quanto, beijá-la e tê-la para si. Mas e se a história do sujeito que estava hospedado lá fosse mesmo verdade? Ele sabia que ela estava muito fragilizada e seu bom senso ainda tinha que falar mais alto. O que fazer? Fosse como fosse, se ela não estava correspondendo aos carinhos dele, também não os recusava.

– Este lugar é lindo e eu adorei ter podido sentir um ambiente tão acolhedor. Mas prefiro dormir um pouco agora, se você não se importa.

– Claro. Vamos voltar lá para cima. Você está melhor?

– Sim, respondeu. Estou. Quer dizer, na medida do possível, estou. Mas agora não quero pensar em nada. Preciso descansar.

Alice deitou-se sem sequer trocar de roupa, deixando-se levar pelo relaxamento que o efeito do vinho provocava em seu corpo. Gabriel apenas tirou o tênis de seu pé e a cobriu com um lençol leve porque fazia calor, no local. Foi até a pequena saleta e sentou-se para folhear o jornal. Ele também precisava começar a pensar nas prováveis hipóteses que os novos fatos exigiam.

Os chalés eram todos de madeira. A sala tinha nas paredes exóticas máscaras de Bali, além de confortáveis conjuntos estofados, forrados com mantas. Eram muito aconchegantes e bem decorados, com delicadas peças de artesanato rústico sobre os móveis e havia ainda uma lareira. Os tapetes também eram rústicos, em tons crus, uma decoração que aliava simplicidade e bom gosto. Segundo diziam, costumava fazer bastante frio, nos períodos de inverno.

De repente, num súbito vôo rasante, uma pequena corujinha adentrou pela janela. Ele ficou estático e encantado, não movia nem mesmo um dedo para não assustá-la. Ela sentou-se no parapeito da pequena janela e seu pescocinho virava de um lado para o outro como se perscrutasse algo no ambiente. Gabriel lamentava intimamente o fato de Alice estar dormindo, bem naquela hora. Sua amiga iria se apaixonar por aquele lindo e misterioso bichinho, que, afinal de contas, viera visitá-los... Mas ele permaneceu imóvel e preferiu ficar observando o que acontecia. Se fizesse qualquer movimento para chamá-la, certamente a coruja fugiria assustada.

Poucos minutos depois o delicado animal bateu as asas e saiu, como se tivesse ouvido o som de alguém que o estivesse chamando. Coincidência ou não, a pequena voou exatamente no momento em que o silvar de um pássaro, talvez nativo, soara forte e agudo, na parte externa. Ele se ergueu e, aproximando-se da janela, acompanhou seu desaparecimento em meio ao jardim que se descortinava atrás do chalé.

Gabriel tentou voltar à sua leitura, mas seus olhos já pesavam e seu corpo também. Aos poucos, ele mergulhou num sono profundo, ali mesmo, sentado.

Capítulo XX

Afinal, quem é o sujeito?

"Ah, como eu gostaria de poder me encolher como um telescópio!"

(Trecho do livro *Alice no país das maravilhas* de Lewis Caroll)

Alice acordou de repente, tentando entender onde estava e o que tinha acontecido. Sua cabeça doía e o corpo estava pesado. Aos poucos foi percebendo que estava muito longe de casa. Mas e seu fidelíssimo amigo Gabriel?

– Ah – lamentou-se, finalmente – tomei vinho demais e devo ter dado trabalho para ele.

Levantou-se e foi até a sala. Ele estava lá, num profundo sono repousante. Menos mal, pensou, resolvendo tomar um banho para ver se ficava mais disposta. Iria dar uma volta sozinha. Assim, quem sabe ela reencontraria o tal sujeito que estava com a criança no restaurante. Lamentava ter extrapolado na hora do almoço. Sabia que não devia ter feito aquilo. Nem seria desta forma que iria resolver os problemas que estava enfrentando. Mas agora era um pouco tarde. Para que perder o controle?

Sua razão voltava a funcionar e ela estava decidida a desvendar todo aquele mistério. A simples idéia de que ELE realmente pudesse existir, deixava-a atônita. E tudo indicava que ele era, de fato o mesmo homem do vídeo. Trocou de roupa rapidamente e saiu, pé ante pé, para não acordar Gabriel. O coitado merecia aquele sono reparador.

Alice trajava uma bermuda jeans bem esportiva, combinando com uma camiseta azul. Nos pés, um tênis branco e meias soquetes da mesma cor da camiseta. Com os cabelos presos em um "rabo de cavalo", ela se mostrava descontraída e jovial.

Cada vez mais intrigada com tudo o que estava acontecendo, resolveu descer por uma espécie de trilha, onde a vegetação ajardinada permeava um caminho sinuoso. Lindíssimas flores enfeitavam o local: verbenas, jasmins, violetas, amores perfeitos e muitas outras. A delicadeza e o perfume daquela tênue vegetação eram capazes de inspirar qualquer pessoa. E, mesmo não querendo, ela já estava envolvida com tudo aquilo, agora não tinha mais como retroceder.

Desceu ligeira pelo belíssimo caminho torneado de pedras quando avistou de longe a menina, que estava sentada no chão, com a cabeça voltada para o solo. Desacelerou os passos e continuou descendo mais lentamente. Quando já estava um pouco mais embaixo, conseguiu visualizar Paul sentado em um banco próximo da garota, com um livro na mão.

– O que estaria lendo? – pensou, cada vez mais curiosa. Ao passar por eles viu que a menina montava um quebra-cabeça. Paul ergueu um pouco o rosto, quase que instintivamente, na direção da criança e em seguida voltou-se de novo para o livro, continuando a ler, bastante concentrado. Alice passou discretamente e dirigiu–se para um grande pátio que havia em frente ao restaurante.

Sentou-se em um dos quiosques que enfeitavam o local e permaneceu lá por um bom tempo. Se ao menos ela pudesse descobrir mais alguma coisa ou conseguisse uma pista qualquer... Imersa em seus pensamentos, lembrou-se de repente que poderia ter deixado um bilhete para Gabriel, na mesa do quarto, dizendo-lhe onde estava. Mas ela se esquecera completamente. Talvez fosse melhor voltar ou ligar para ele, antes que começasse a ficar preocupado.

Mas ela precisava pensar. Se ficasse mais algum tempo sozinha, talvez pudesse raciocinar melhor. Precisava achar uma desculpa para que ele não viesse ao seu encontro, por enquanto. Alice estava discando o número do quarto, quando, ao virar o rosto, avistou Gabriel do outro lado do pátio.

– Ih, ele já está vindo ao meu encontro! – pensou, com aspecto sério.

– Você saiu sem me avisar. Faz um bom tempo que estou te procurando.

– Desculpe. Eu ia ligar para você exatamente agora. Vim apenas dar uma volta enquanto você cochilava. Achei que não acordaria tão cedo. Aliás, eu também nem sei quanto tempo dormi.

– O suficiente para acordar mais disposta, creio eu. Bem, pelo menos assim eu espero.

– Aliás, por falar nisto, eu tenho que te pedir desculpas pelo que aconteceu hoje durante o almoço.

– Não se preocupe, o importante é que você esteja bem agora.

– Estou. Acabei de reencontrar o indivíduo que, tudo indica, seria o tal de "Paul". Se ao menos eu conseguisse mais alguma informação a respeito dele!

– Nós vamos acabar encontrando uma maneira de descobrir. Mas é importante que você não tome nenhuma atitude precipitada e nem queira bancar a detetive sozinha, por aí.

– Mas eu nem sei quando ele vai embora...

– Talvez tenha apenas chegado.

– Ah, você é sempre tão otimista! Mas tomara que esteja certo! Se for assim, talvez tenhamos tempo suficiente para investigar...

– Vamos fazer o seguinte, começou ele. Enquanto caminhavam, Alice o ouvia atentamente.

Capítulo XXI

Um acidente providencial

*"Não era preciso nem dizer
um, dois, três, para começar.
A corrida começava sem isso".*

(Trecho do livro *Alice no país das maravilhas* de Lewis Caroll)

A noite já descia seu manto suave e escuro sobre aquela imensa e privilegiada área verde. Agora que já tinham uma estratégia de ação, ela se sentia mais serena e estava disposta a não permitir que a presença daquele sujeito tirasse o prazer de aproveitar sua estadia no local e sua vontade de desfrutar aquelas férias tão esperadas, de maneira despreocupada e tranqüila, naquele incrível paraíso perdido. Enquanto os dois esperavam o horário do jantar, resolveram dar uma passada no salão de jogos.

Havia algumas pessoas jogando baralho, um pequeno grupo conversando animadamente e crianças disputando a vitória em uma mesa de pimbolim. Gabriel resolveu desafiar Alice no jogo de ping pong.

– Tudo bem – disse ela, alegre e agora bem relaxada, lembrando-se dos velhos tempos de estudante em que participava dos jogos e campeonatos.

– Mas faz muito tempo que eu não jogo, protestou ela. É claro que você vai ganhar!

– Não tenha tanta certeza, eu também estou bastante destreinado.

Alice tinha apenas pegado na raquete e começado a dar seus primeiros lances quando, ouvindo vozes de criança, percebeu a chegada de Paul e de sua filha. Continuou jogando, agora mais interessada em manter-se compenetrada e desligada de tudo o que se passava à sua volta.

Seus olhos se encontraram com os de Gabriel e era como se trocassem palavras através de um código de guerra. Iria agir exatamente como tinham combinado, suas atitudes agora seriam como a dos velhos guerreiros tibetanos que derrotavam o inimigo com sabedoria e inteligência, armas infalíveis contra qualquer adversário. Paul e a filhinha vinham na direção da mesa de ping pong, mas Alice estava tão absorta nos lances que desferia contra seu parceiro que nem percebeu que os dois estavam se aproximando.

De repente, ao virar-se para devolver uma forte tacada contra Gabriel, ela deu um brusco encontrão na menina, a qual, tendo se soltado de seu pai, corria na direção de uma outra criança, do outro lado do salão. A pequena bateu fortemente no braço de Alice, caindo em seguida. Desconcertada com o desastre que provocara, abaixou-se rapidamente, tentando ajudar a menina a se levantar. Paul também se movia na direção dela.

Quando, porém, cravou seus olhos no chão, viu o livro que Paul levava consigo o tempo todo, e que também tinha caído, ficando semi-aberto no chão. Na capa estava escrito: "Os segredos das plantas medicinais".

– Mil desculpas, querida, disse ela constrangida, enquanto ajudava a menina a se reerguer. Eu fui realmente muito desastrada.

A pequena estava assustada, mas não chegou a chorar.

– Não foi nada – respondeu Paul, gentilmente.

Você está bem filhinha? – perguntou, abraçando a pequena, cuja expressão alegre e espontânea se transformara subitamente. Alice olhou para a criança e ao mesmo tempo em que tentava encontrar palavras para desfazer o desagradável incidente, começou a se dar conta de quanto ela era linda e delicada.

Enquanto isso, Gabriel que observava toda a cena, após alguns segundos, inclinou-se na direção do livro caído. Após ajeitá-lo cuidadosamente, devolveu-o a Paul. Este agradeceu e foi se afastando, com o braço em volta dos pequenos ombros da menina, que finalmente, suspirou aliviada.

Àquela altura, os dois amigos se entreolharam e Alice esboçou um pequeno e mal disfarçado sorriso triunfante.

– Você quer continuar jogando ou prefere parar? – perguntou ele.

– Acho melhor pararmos. Que tal irmos até aqueles quiosques perto do restaurante? Assim poderemos conversar um pouco.

– Ótima idéia.

O dia estava lindíssimo e o pequeno incidente começava a revelar algumas coisas que certamente os ajudariam a decifrar todo aquele estranho enigma.

– Então nós nem começamos a aplicar o nosso plano e as informações que precisamos já estão surgindo espontaneamente?

– Também, você resolveu dar um verdadeiro salto mortal bem em cima da menina!

– Muito engraçadinho, você!

– Mas falando sério, você viu o que ele anda lendo?

– Sim. Agora já temos dois indícios que confirmam as nossas suspeitas: o tema do livro e o sotaque.

– Inglês britânico?

– Inglês britânico, sem dúvida.

– Então ele é realmente o mesmo sujeito que você viu no filme que a Jéssica exibiu.

– E o que vamos fazer?

– Vamos continuar com o nosso plano. Mas temos que agir com naturalidade.

– Tudo bem.

– Sabe que eu já estou ficando com fome? Podíamos ir andando até o restaurante, para esperarmos o jantar.

Capítulo XXII

Uma conversa mais pessoal

"Agachou-se por entre os galhos das árvores e foi dando jeito de afastar-se dali".

(Trecho do livro *Alice no país das maravilhas* de Lewis Caroll)

Após o almoço Alice e Gabriel decidiram que seria melhor que se separassem um pouco. Desta maneira ela poderia tentar se aproximar de Paul, de modo que parecesse algo espontâneo.

Gabriel ficaria no chalé lendo um pouco e ela daria uma volta pelos jardins e depois se sentaria em algum quiosque. O calor continuava intenso e Alice vestia uma camiseta com folhagens verdes e amarelas e usava uma colônia floral bem refrescante.

Enquanto descia pelo caminho de pedras observava atentamente o lindo percurso e como o brilho do sol se refletia nas folhas e flores. Precisava aproveitar aqueles momentos especiais, pois em breve estaria de novo entre prédios de concreto e asfalto. Sentou-se em um dos bancos e começou a observar com calma todo aquele ambiente verdadeiramente divino.

Após algum tempo, começou a ouvir vozes de crianças que se aproximavam. Era a filhinha de Paul e mais uma garotinha que também estava hospedada na pousada. Ele vinha atrás delas e quando viu Alice, seu rosto abriu-se em um sorriso espontâneo.

– Pai, nós podemos brincar aqui?

– Se não atrapalharem a moça...

– Claro que não atrapalharão! Estou apenas contemplando a natureza. Isto aqui é maravilhoso, não?

Ele parecia pouco à vontade. Olhou para ela um tanto constrangido e perguntou:

– Posso me sentar?

– Por que não?

– Desculpe-me a pergunta, mas seu namorado não se aborreceria se surgisse de repente e nos visse conversando?

Alice sorriu e respondeu:

– Ele não é meu namorado. É apenas um grande amigo.

– Ah, sim? E vocês já conheciam este lugar?

– Eu não. Mas o Gabriel já esteve aqui com um grupo de colegas, há algum tempo. Na verdade, foi ele quem insistiu para que eu viesse. Eu estava tão envolvida com o meu trabalho que nem pensava em parar. Mas confesso que não me arrependi nem um pouco. Estou adorando tudo isto.

– E o que é que você faz?

– Sou tradutora de idiomas.

– É mesmo? Deve ser um trabalho interessante.

– Realmente. Eu gosto muito. E vocês, é a primeira vez que vêm aqui?

– Sim. Eu sou divorciado e não tenho muito tempo para me dedicar à minha filha. Desta vez eu queria lhe proporcionar algo especial e foi quando encontrei esta pousada no guia de viagens. Ela também está gostando. E agora mais ainda, pois já encontrou companhia.

Alice ficou surpresa por ele ter falado de sua vida pessoal, quando achava que, sendo inglês, normalmente seria mais reservado. Resolveu então avançar um pouco mais com as perguntas.

– E o que você faz? – perguntou ela, finalmente.

– Bem, eu trabalho na própria natureza. Sou biólogo.

Alice tentava conter a sensação de temor, agora que tinha certeza que aquele era realmente o homem. Tentava, mais do que nunca, parecer natural.

– Não deixa de ser um grande privilégio, nos dias de hoje!

– Sim. É uma profissão muito importante nos dias atuais, mas nem sempre aquilo que sonhamos como profissionais pode ser visto ou desenvolvido na prática, com tanta facilidade. Além disso, eu trabalho com pesquisa e preciso me dedicar muito. Às vezes sou obrigado a me sujeitar às intempéries e outros imprevistos do dia a dia.

– Eu imagino. E para quem você pesquisa? Você é estrangeiro não é?

– Trabalho para um laboratório inglês. Eu também sou inglês, mas estou radicado no Brasil há vários anos.

As crianças tinham se afastado um pouco e Paul olhou em volta, um pouco apreensivo.

– Desculpe-me, preciso dar uma olhada nas meninas.

– Fique à vontade... – disse Alice.

Ela permaneceu no local por mais alguns minutos. Aparentemente, da maneira como ele falava, com tanta naturalidade, não parecia nem um pouco suspeito. Finalmente ela se levantou e subiu até o chalé. Queria contar tudo para o Gabriel.

Quando entrou, ele estava com a revista entre as mãos e olhou para ela cheio de expectativa.

– O que me causa mais estranheza é que este tal de Paul não parece estar fazendo algo condenável. Eu conversei pouco com ele e sei que é cedo para tirar conclusões, mas tive a impressão que é uma pessoa bastante envolvida com a profissão que exerce.

– Pode ser que ele simplesmente não saiba a verdade. Mas eu acho que devemos observá-lo um pouco mais. Realmente, é cedo para tirarmos conclusões.

Alice notou que Gabriel a olhava de forma um pouco estranha. Ele parecia tentar perscrutá-la no mais íntimo do seu ser. Isto a estava deixando incomodada.

– Está tudo bem com você? – perguntou?

– Sim, mas estou um pouco apreensivo.

– Por causa de toda esta história?

– Não exatamente. Não sei se devo falar.

– Deve. Você sempre me dá toda a atenção quando eu preciso e agora chegou a minha vez de lhe retribuir. Pode falar, meu amigo.

Ele se aproximou, fixando-a nos olhos. Em seguida segurou as suas mãos e começou a falar.

– Eu receio que a minha amizade por você tenha se transformado em algo mais, entende? Eu nem sei exatamente como me expressar, mas a verdade é que não posso mais continuar escondendo isso de você.

– E eu confesso que senti alguma coisa no ar. Eu notei que você está diferente.

Sem que Alice pudesse fazer qualquer gesto, ele aproximou-se ainda mais e, enlaçando-a, finalmente deu-lhe um beijo na boca. Um beijo suave, na verdade um roçar de lábios. Alice ficou ali, paralisada, sem conseguir se mover.

– Eu nem sei o que pensar, respondeu ela. Mas acho melhor não continuarmos com isto. Estou ficando muito confusa.

– Desculpe-me, respondeu ele.

– Fique em paz. Eu vou para o quarto. Nos veremos na hora do jantar.

– E eu vou dar um giro. Se você não se importa, voltarei aqui mais tarde para irmos ao restaurante.

– Claro, sem problemas.

Alice recostou-se no travesseiro, sentido-se meio atônita.

– Só me faltava esta, agora!

Capítulo XXIII

Agüenta coração...

"Consegui finalmente realizar metade dos meus planos".

(Trecho do livro *Alice no país das maravilhas* de Lewis Caroll)

Os dias estavam passando muito rápido naquele local. Mas de uma maneira paradoxal, tudo ali conspirava contra esta "duração limitada" chamada tempo. A impressão era de que ele tinha parado por completo, na estranha quietude do local.

Os únicos ruídos que não vinham da natureza eram provocados pela presença das pessoas que estavam hospedadas na pousada, reunidas em grupo nos quiosques, ou em outros locais como o restaurante. Todos que ali se encontravam pareciam estar realmente num verdadeiro estado de graça: nada de vozes estridentes, ritmo acelerado ou maneiras afoitas... Tudo tão diferente da louca agitação das grandes cidades!

Alice resolveu conversar com Gabriel. Notou que ele parecia mais tranqüilo. Ela preferiu agir como se nada tivesse acontecido. Queria que ele percebesse por si mesmo que não correspondia aos seus sentimentos. Temia que, no futuro, não conseguissem ser nem amigos nem namorados, caso ela alimentasse algo que, pelo menos até o presente momento, não conseguia corresponder.

– Eu estava pensando se não seria bom tentarmos descobrir quando ele vai embora, disse, olhando em volta como se tentasse encontrar no vazio as respostas que não tinha dentro de si mesma.

– Para que?

– Para que não perdêssemos o contato. Do contrário, como vamos saber se ele está ou não diretamente envolvido com o esquema?

– Seria bom que você tentasse uma aproximação maior, fazer mais amizade. De uma forma discreta, é claro!

– Eu poderia. Mas é arriscado para mim. Quanto mais eu me aproximar maior vai ser a minha exposição e ele pode descobrir que eu estou trabalhando para a inglesa...

– Como?

– Eu não sei como. Mas pode acontecer.

– Sim, pode acontecer. Mas nós estabelecemos um plano e vamos segui-lo. Fique tranqüila, ele não tem como adivinhar que você é a tradutora da inglesa.

– Por que eu e não você? Talvez pelo fato de você ser homem fique mais fácil se aproximar dele.

– Eu não acho. Talvez pelo fato de você ser mulher, é que fique mais fácil!

Alice ficou irritada e reagiu.

– Por acaso você está querendo insinuar alguma coisa?

– Claro que não! Mas o que é isso agora? Você sabe muito bem o que eu quero: ajudar você a sair desta enrascada. Não estou insinuando nada – disse ele – visivelmente aborrecido.

Decididamente o clima entre eles não estava nada bem. Alice tinha que admitir que ele estava diferente. Não costumava falar naquele tom e nem mudar de humor tão bruscamente. Mas se começassem a se desentender certamente o inimigo iria gostar muito!

– Então, se você acha sou eu quem deve agir, vou começar agora. Quem sabe eu tenha sorte e o encontre por aí, enfiado naquele livro de novo?

– Está bem. Enquanto você faz isso eu vou dar um pulo na cidade para comprar um jornal. Você quer alguma coisa?

– Sim, por favor, traga-me a última edição da minha revista, para continuarmos acompanhando as reportagens.

– Está bem. Até mais tarde.

Alice começou a caminhar. Olhava em volta, porém nada de Paul. Parecia que ele tinha simplesmente evaporado.

Ou estaria no seu chalé? Ela sentou-se num banco perto do jardim principal e ficou observando a natureza, mais uma vez.

– Ainda bem – pensou consigo mesma – que este lugar me acalma. Ficou ali durante meia hora e quando já estava pensando em ir até o bar tomar um café e em seguida voltar para o quarto, percebeu que Paul se aproximava.

– Certamente ele deveria ter estado todo este tempo lá embaixo, nos quiosques.

Quase que instintivamente ela pensou em se erguer e sair rápido dali. Como iria ter coragem? Mas se não tentasse, nunca iria sair de toda aquela confusão.

Para sua surpresa, ele logo a alcançou e, sorrindo, dirigiu-lhe a palavra.

– Olá, Sta. Alice.

– Olá! Esteve passeando por aí? – disse ela, tentando parecer natural.

– Sim. A minha filha está no salão de jogos com a família da amiguinha que conhecemos aqui e eu aproveitei para dar uma olhada na flora local.

– Ah, sim? Você parece mesmo apaixonado pela natureza.

– Mais do que isto. A natureza é a minha vida.

– Eu estava indo tomar um café – respondeu ela – com o intuito de dar corda para obter o que desejava.

– Posso lhe fazer companhia?

– Por que não?

– E o seu amigo?

– Ele foi até a cidade. Gosta de estar informado e foi comprar os jornais.

Ambos sentaram e pediram um café. Enquanto Alice sorvia lentamente a bebida que gostava tanto, observava os olhos muito azuis e o aspecto simpático e amistoso daquele homem estranho.

– Você parece estar gostando daqui.

– Sim, estou. Pena que eu não poderei ficar muito tempo.

– Ah, é? Até quando você vai ficar? – perguntou ela, tentando não demonstrar o sentimento de apreensão que a invadia intimamente.

– Creio que terei que ir embora dentro de três ou quatro dias.

– Já? Mas que pena... Vocês poderiam aproveitar mais a estadia.

– Sim, seria ótimo se pudéssemos. Mas o pessoal do laboratório me telefonou dizendo que precisam de mim com uma certa urgência. Terei que abreviar as minhas férias.

Alice sentiu um frio na barriga. Mas sabia que tinha que conter a ansiedade a qualquer custo. Agora teriam pouquíssimo tempo.

– Então vocês precisam ir mesmo?

– Sim. Preciso atendê-los. Você sabe como as empresas estrangeiras são rigorosas em relação a prazos. Mas nós poderemos manter contato, se você quiser. Gostaria de ficar com o meu telefone?

– Sim, respondeu Alice, seria ótimo.

Ela guardou cuidadosamente o belo cartão de visitas que Paul lhe deu. E antes que ele resolvesse pedir o seu, mudou rapidamente de assunto. Depois de mais alguns minutos disse a ele que ia subir para o quarto para descansar um pouco e "bateu em retirada".

Foi mais fácil do que eu imaginava, pensava consigo mesma, enquanto subia as escadas para o chalé. Mais ainda receava que ele percebesse suas intenções. Afinal, agora ela tinha certeza que ambos estavam "trabalhando" para o mesmo laboratório e isto tornava tudo muito mais perigoso.

– Não sei como proceder, de agora em diante – disse ela para Gabriel – Mas nós estamos com sorte! Você foi perspicaz, respondeu o amigo, agora novamente bem humorado.

– Não é sorte. Foi o nosso empenho, a nossa busca na direção...

– Você pode chamar esta sincronia pelo nome que quiser. Mas a verdade é que estamos conseguindo porque estamos lutando por uma boa causa.

– Como é que você tem tanta certeza de que esta é uma boa causa?

Gabriel permaneceu em silêncio. A última coisa que ele queria agora era discutir os pontos de vista de Alice. Estava cansado de saber que ela não aceitava os fatos que não viessem de um mundo totalmente "concreto e racional". Ele tampouco estava querendo convencê-la de que muitas vezes nesta vida somos compelidos a fazer algo por um bem maior, talvez aquele ao qual Jéssica teria se referido quando tentou convencer Alice a ajudar. Ações que tornassem este planeta melhor e mais humano. Mas estas experiências são tão pessoais que às vezes é praticamente impossível transmiti-las, por mais que se queira. Elas viriam, sim. Neste ponto, sabia que a própria vida se encarregaria de trazê-las, pois quando chega a hora, ninguém consegue fugir do seu quinhão de responsabilidade para melhorar o mundo.

E aqueles que fogem da suas responsabilidades, acabam pagando um preço muito alto pela escolha feita ao longo da trajetória de sua vida. A experiência, por vezes pode ser dolorosa e cruel. Ele conhecia vários casos, através da vivência que tinha adquirido ao longo de sua carreira de psicólogo. É claro que ele nunca tinha as soluções para cada caso individual e tudo o que podia fazer era estabelecer empatia com o sofrimento das pessoas e ser compassivo com a sua dor. Elas não podiam esperar que ele lhes desse uma direção de vida, mas receber seu apoio e compreensão as fazia refletirem sobre como reencontrarem seu próprio centro.

Capítulo XXIV

De volta à cidade

"– Ai, a Duquesa, a duquesa! Vai ficar uma fera se eu a fizer esperar!"

(Trecho do livro *Alice no país das maravilhas* de Lewis Caroll)

Já era noite quando Gabriel e Alice chegaram na cidade. Pegaram um táxi e foram para casa. Logo pela manhã ela ligou para Sara e depois de conversarem sobre assuntos de trabalho sentou no computador e começou a acessar seus e-mails. Quase não falou sobre a viagem, dizendo que contaria tudo depois, pessoalmente. Ligou também para a inglesa e combinou de retomar as traduções no dia seguinte.

Enquanto digitava, vez por outra a imagem de Paul ressurgia na sua mente. Estava disposta a ligar para ele, mas iria esperar algum tempo.

Trabalhou durante todo o dia e finalmente parou e foi se alimentar. Em seguida ligou a tv e assistiu ao noticiário. Foi deitar cedo porque pretendia ir para a casa da inglesa logo pela manhã.

Adormeceu profundamente e, de madrugada, começou a sonhar. Durante o sonho, ela foi parar exatamente no local para onde tinha sido deslocada durante *as estranhas viagens*. Jéssica logo surgiu, olhando-a com aquele mesmo aspecto plácido de sempre.

– Estamos fazendo contato porque precisamos saber o que você decidiu com relação ao problema que lhe apresentamos.

– Bem, aconteceram algumas coisas que me fizeram mudar de idéia. Eu fiz uma viagem para descansar e de repente, exatamente lá no local onde me hospedei...

Alice relatou tudo o que acontecera. Falou também sobre a possibilidade de Paul desconhecer o esquema.

– É possível. E neste caso, agora que você já o conhece, ficará mais fácil tentar descobrir a verdade.

– E como poderei fazê-lo?

– Terá que encontrar uma maneira. Nós fizemos a nossa parte e agora cabe a você pensar em uma solução.

– Mas vocês me disseram que iriam me ajudar.

– Nós não podemos agir de uma maneira direta.

– Mesmo tendo tantos recursos e tecnologias tão avançadas?

– Se aparecêssemos por lá estaríamos colocando nosso planeta em sério risco, você entende?

– E quanto a mim? Não estou me arriscando também?

– Seja razoável e tenha calma Alice. Está disposta a colaborar?

– A esta altura eu não tenho outra opção! Vou tentar me aproximar deste Paul e ver o que consigo.

– Então, de agora em diante você não precisará mais voltar aqui. E esperamos que tenha sucesso na sua missão.

Alice acordou e as imagens do sonho ainda estavam nítidas na sua mente.

– Meu Deus, já estou atrasada e a inglesa me espera.

A governanta da inglesa a recebeu com a cordialidade de sempre e disse que ela poderia ir direto para o escritório, sua patroa estava com forte enxaqueca e não podia recebê-la.

Alice estava disposta a não procrastinar mais um só dia.

– É uma pena. Eu vim especialmente para conversar com ela. E infelizmente não poderei ficar.

– Neste caso é melhor telefonar e marcar um outro dia. Eu sinto muito.

Alice saiu de lá indignada.

– Esta 'madame' não tem mesmo o que fazer! Marcar para outro dia! O que ela pensa que eu sou? Um fantoche que pode manipular a seu bel prazer?

Assim que chegou resolveu ligar para o Gabriel.

– Você não deveria estar na inglesa a esta hora?

– Teoricamente deveria. Mas eu decidi que não vou mais fazer o jogo 'deles'.

Contou-lhe tudo a respeito do sonho que tivera aquela noite.

– Pelo menos agora você pode ficar mais sossegada. Não será mais perturbada e poderá voltar à sua rotina.

– Até certo ponto. A coisa é tão maluca que eles podem continuar invadindo a minha vida através dos meus sonhos ou sei lá através de que outro método! Deveria existir amparo legal para invasão de privacidade vinda do *além*, no nosso código penal. Em contrapartida terei que investigar o esquema e pensar em uma solução eficaz!

– E o que você vai dizer para a inglesa?

– Por enquanto não sei. Acho que quando ela me ligar vou bancar a cínica e dizer que estou com enxaqueca...

– Tome cuidado com o que vai dizer...

– Eu sei. Mas está claro que não poderei sustentar esta situação por muito tempo.

Depois de uma semana Alice resolveu finalmente ligar para Paul. Ele se mostrou contente e a convidou para ir à sua casa conhecer o herbário que cultivava.

– Eu adoraria.

Combinaram a visita para o final de semana.

Alice ficou encantada com o local. Do portão para dentro, nem parecia que estavam na cidade. Tudo feito com muito capricho: a casa, confortável e bem decorada, o jardim, impecável e o local onde ele cultivava as plantas, então era um verdadeiro paraíso verde. Ele lhe explicou que estava elaborando um extenso catálogo que seria enviado para a Inglaterra.

– É mesmo? E qual é a sua finalidade?

– Estamos fazendo uma pesquisa com plantas brasileiras e depois vamos produzir remédios.

– E como se chama o laboratório?

– Whitman. Atualmente a companhia está se instalando no Brasil. A empresa está me propondo a renovação do contrato por mais dois anos, mas, eu ainda não sentei para conversarmos sobre o assunto. Venha, vamos lá para dentro – disse ele. – Você quer um café? Ou prefere chá?

Ao contrário do que pensara antes de vir, Alice estava se sentindo bem naquele ambiente e o medo de se expor cedeu lugar a uma sensação de bem estar. Quanto a Paul, seus olhos demonstravam uma ternura que não lhe passava despercebida. Eles eram muito expressivos e estavam começando a deixá-la fascinada. Mas ela sabia que precisava se concentrar inteiramente na *missão.* Fosse o que fosse, agora não podia mais retroceder.

– Um chá vai bem – respondeu – controlando-se.

– Então venha até a cozinha. Vou colocar a água para ferver enquanto conversamos.

Apesar de ser estrangeiro ele parecia bastante "abrasileirado" e era muito simples. Além disso, as pessoas em geral não convidam uma visita para adentrar a cozinha de sua casa num primeiro contato. Mas ele a tratava com total naturalidade.

– Você está no Brasil há muito tempo?

– Mais de dez anos. Eu vim para pesquisar e estudar, mas gostei tanto daqui e acabei ficando. Casei-me com uma brasileira e infelizmente não deu certo. Mas fale-me de você. Como vão as suas traduções?

– Bem. Atualmente estou trabalhando em um romance. Gosto da área literária. Mas fazemos trabalhos técnicos, também.

Falou um pouco sobre sua parceira com Sara enquanto ele servia o chá. Ela o tomou, sorvendo o sabor natural da erva colhida fresquinha, no próprio quintal da casa.

– Vamos até o meu escritório. Quero lhe mostrar o catálogo de plantas que estou elaborando.

– Está bem. Mas desde que não demore muito.

– Enquanto ele ligava o micro computador Alice viu um contrato em cima da mesa auxiliar.

Paul falou ainda sobre as plantas e seu trabalho de coleta *in loco*. Alice olhou a lista e reconheceu as palavras que ela própria tinha traduzido. Começou a ficar cada vez mais inquieta.

– Pelo visto você é mesmo muito dedicado! – comentou. Mas agora preciso ir. Minha amiga me espera e depois também ainda pretendo voltar ao meu trabalho.

– Obrigada pela visita. Espero que volte mais vezes. Quem sabe não podemos combinar um café ou até uma pizza em algum lugar?

– Pode ser uma boa idéia.

– Então ficarei esperando a sua ligação.

Ela pegou a bolsa e se dirigiu na direção da porta. Ele a acompanhou e ao se despedirem beijou-a suavemente no rosto.

Alice saiu de lá visivelmente perturbada. Mas assim que chegou em casa resolveu ligar imediatamente para o Gabriel.

– Tudo indica que ele está fora de qualquer suspeita. Agora terei que descobrir qual é o local onde a empresa está se instalando.

– De que maneira?

– Lembra-se da minha velha amiga Úrsula?

– Sim, eu me recordo dela.

– Estou pensando em procurá-la. Ela é uma pessoa ousada e quem sabe possa me ajudar?

– Então tente. Seja como for, você sabe que eu estou aqui.

Capítulo XXV

Uma nova aliada

"– Proponho que o conclave seja suspenso, para a imediata adoção de medidas mais operacionais..."

(Trecho do livro *Alice no país das maravilhas* de Lewis Caroll)

Alice ligou para Ursula. Estava exausta de tudo aquilo, fugas ao *'centro da terra"* (ou seriam *'extremidades'*?), angústias e o que era pior, sentia que verdadeiramente sua produtividade caíra muito. Precisava buscar rapidamente uma solução. Mas o que fazer? Já tinham algumas pistas, mas como descobrir toda a verdade?

Certamente a amiga a ajudaria a pensar e talvez conseguissem algo mais consistente sobre o envolvimento de Paul em toda aquela trama. A velha amiga ficou surpresa com a ligação e disse que teria muito prazer em rever Alice. Combinaram de se encontrar em um pequeno café, no centro da cidade.

Alice chegou cedo e sentou-se em uma mesa que ficava num canto, mas de onde podia ver o movimento da rua. Enquanto esperava, observava o ambiente e as pessoas que passavam por ali. Era tudo tão diferente da vida calma do local onde estivera, em contato com a natureza... Mas aquele era o seu mundo.

A amiga tinha longos cabelos pretos e olhos castanhos escuros. Vestia um conjunto de jaqueta e calça jeans e era bastante direta e objetiva.

– Puxa, quanto tempo! Achei que você tinha se mudado. Perdi seu telefone e nunca mais tive notícias.

– Mas afinal, como você conseguiu me achar? – disse ela, enquanto abraçava Alice.

– Encontrei "no fundo do baú" o número de uma amiga sua que costumava sair conosco. Foi ela que me deu o número do seu telefone.

– Ótimo. E como você está?

Alice falou um pouco sobre sua vida, comentou também sobre a sociedade com Sara.

– E você? – disse ela, finalmente.

Úrsula também contou sobre sua vida, o novo relacionamento, e depois falou sobre seu trabalho. Ela era investigadora.

– Eu vou lhe contar uma história bastante insólita, disse Alice finalmente, disposta a 'abrir o jogo'. Sei que você está acostumada a trabalhar com dados concretos e certamente vai achar tudo isso muito estranho, mas espero que você pelo menos tente me compreender e até possa me ajudar de alguma maneira. Confesso que estou confusa e até meio desnorteada.

Alice relatou tudo, desde o início, e nos mínimos detalhes. Ursula a ouviu em silêncio, e no final comentou:

– A história é realmente muito estranha. Mas você tem também dados objetivos. É a partir deles que poderemos começar a investigar. Apesar de todo o lado insólito destas *visitas extra-terrestres*, se é que posso falar assim...

Abriu a bolsa e pegou agenda e caneta, começando já a traçar um plano.

– Temos duas opções. Ou ele sabe que está envolvido nesta história ou realmente não sabe, certo? A partir destas duas premissas podemos imaginar: a primeira possibilidade é que ele sabe. Neste caso não vai deixar pistas para que ninguém, nem mesmo você, desconfie de alguma coisa. A segunda é que ele não sabe. E esta parece ser a mais viável, de acordo com o que você me disse.

Alice estava gostando da clareza do raciocínio. Pediram um café com chantilly e um brownie para ambas enquanto continuavam conversando.

– Você disse que viu um contrato sobre a mesa dele quando esteve lá. Teremos que dar um jeito de verificar este documento.

– O contrato de trabalho?

– Sim. Através dele poderemos checar os dados da empresa e até as condições da contratação.

– Isto significa que terei que voltar na casa dele...

– Claro! Uma vez tendo entrado lá e com muita sorte, se o contrato estiver no mesmo local, você o pega e daremos um jeito de tirar uma cópia. Desse modo...

– Espera um pouco! Você acha que eu vou entrar lá e pegar o contrato de trabalho dele sem a sua autorização? Exatamente agora que ele já deposita uma certa confiança em mim e parece até estar demonstrando algo mais?

Ela era curiosa, mas não xereta. A curiosidade fazia parte de seu *lado de Alice* e era até salutar. Mas mexer em coisas alheias decididamente era algo que reprovava. Como iria fazer isto? Não podia e nem queria ser como Alice, de Caroll, para quem "cair em uma toca e não saber nunca mais como sair ou ficar um tempo infinito andando atrás de um coelho doido que vive correndo atrás do tempo e falando *é tarde, é tarde*".

– Porisso mesmo. Na verdade ele já está envolvido e você também. E se ele estiver conivente com toda esta falcatrua? Seja como for você também aceitou prestar serviço para uma empresa que parece estar trabalhando ilegalmente aqui no país. Já parou para pensar que isto também oferece risco para você? É Dona Alice, está não é mais uma aventurazinha de *fugir do coelho ou mesmo de achá-lo.* A coisa é muito mais séria.

– Sim, a coisa é séria. Muito séria. Meu Deus, eu queria tanto poder continuar contando com o Gabriel! Ele estava me ajudando de verdade! Mas acho que ele acabou ficando magoado comigo. Creio que nada mais entre nós poderá ser como antes...

– Levando em conta tudo o que você me contou, acho que você deveria deixá-lo de lado, pelo menos por enquanto. Até mesmo para poupá-lo. Depois que tivermos dados mais concretos, poderemos chamá-lo ao telefone e convidá-lo para um encontro. Mas vamos voltar ao nosso raciocínio.

– Espero que ele compreenda e concorde com tudo isto. Sim, vamos voltar ao raciocínio. Realmente, o contrato deve trazer as condições da contratação, o nome da empresa, e outras informações importantes.

– Mas como eu vou entrar lá e pegá-lo, sem que o Paul perceba?

– Eu vou junto com você.

– Você, junto comigo? Está mesmo maluca.

No fundo, Alice admirava a ousadia da amiga. Lembrava-se de quando saiam e ela dizia que não tinha medo de voltar para casa sozinha, mesmo tarde da noite. Mas sentia que estava com um grande receio de "enfiar a cabeça" nesta história, com toda a garra. E não entendia porque.

Em outras fases de sua vida havia tomado decisões e enfrentado situações com confiança e determinação. Quando algumas coisas saiam erradas ela assumia os erros e prosseguia, sempre na direção de seus objetivos. Porque agora tanta insegurança, desconfiança e temor? Realmente Gabriel estava fazendo falta porque nos longos diálogos que mantinham, ele a ajudava a pensar.

Ursula era obstinada e destemida, mas no fundo Alice sabia que era preciso muito mais do que estas qualidades para desvendar toda aquela loucura que tirava a sua paz e a impedia de voltar à rotina relativamente calma que sempre levara, antes disto tudo começar. Ouviu a amiga até que ela terminasse de relatar todo o plano e finalmente disse que iria pensar. Caso decidisse agir da maneira que tinha sido proposta, ligaria para a amiga no dia seguinte e partiriam para a ação.

Capítulo XXVI

O rapto do contrato

"Parecia um excelente plano, sem dúvida, muito simples e perfeitamente arquitetado."

(Trecho do livro *Alice no país das maravilhas* de Lewis Caroll)

Alice considerou tudo com calma e concluiu que não tinham outra saída. Não era o "ideal" entrar, fuçar as coisas de Paul e invadir sua privacidade. Mas o "ideal não é real" e nem sempre deve servir de parâmetro absoluto para nortear todas as ações. Pegou o telefone e ligou para Paul.

– Oi, honey! Que bom ouvir a sua voz, logo cedo – disse ele, carinhoso e receptivo, um perigo para a fragilidade dela.

– Estou precisando de ajuda.

– Diga.

– Eu tenho uma amiga que estava fazendo um tratamento homeopático. Mas agora ela está piorando cada vez mais e foi obrigada a recorrer à alopatia. O médico especialista disse que vai precisar utilizar uma medicação mais pesada. Isto a está assustando porque já se habituou com o tratamento natural.

– O que é que ela tem?

– Eu não sei exatamente. Eu poderia ir até aí para conversarmos?

– Claro. De preferência à noite, quando poderei lhe dar mais atenção.

– Posso levar a minha amiga comigo?

– Sim. Mas você disse que o estado dela parece grave...

– Parece... Mas apesar de estar fraca ela pode se locomover. Nós vamos com o meu carro. Quem sabe, com a sua experiência em botânica você possa orientá-la ou indicar algum profissional eficiente que trabalhe com remédios naturais.

Alice chegou na casa de Ursula às 19:30 em ponto. Entraram no carro e foram conversando, enquanto se dirigiam para a casa de Paul.

– Ele me fez algumas perguntas sobre o seu estado de saúde. Prepare-se para as outras que virão.

– Eu não pretendo falar muito, a idéia é entrar e sair o mais rápido que pudermos.

– Você não conhece o Paul. Esqueceu que ele é um botânico meticuloso e sistemático? Pense rápido e tente ser coerente nas suas respostas.

Pensar rápido era com ela mesma. E coerência também.

– E quanto a você, trate de prestar atenção ao que eu vou dizer, para não entrarmos em contradição.

– É verdade. Diante dos lindos olhos dele eu poderei mesmo ficar distraída, respondeu Alice rindo.

– Por favor, deixe para contemplar os olhos dele num outro dia.

Olhos... Alice lembrou-se de como eram lindos e profundos os do Jan. Castanhos escuros e penetrantes, ele atravessava tudo com o olhar, como se lançasse, através deles, um raio X. Enquanto pensava nisso, ausentou-se mentalmente por alguns segundos. Onde ele estaria?

Chegaram sem demora. Estacionaram, retocaram o batom e desceram do carro rapidamente.

– O lugar é encantador.

– Sim, ele é muito caprichoso.

Paul já as esperava. Trajava bermudas e tênis. Ao abrir a porta, deu um largo sorriso. Elas entraram. Ele examinou a amiga de Alice com o olhar, de cima até em baixo. Propositadamente ela havia passado um batom bege para acentuar o ar abatido que queria aparentar.

– Tudo bem com vocês? – perguntou, com o semblante preocupado. Sentem-se.

A sala tinha dois ambientes, com muitas plantas ornamentais. Uma decoração sóbria com alguns poucos bibelôs. Alice olhava em volta tentando se lembrar onde ficava a porta do escritório. E se o contrato não estivesse mais no mesmo lugar?

Paul conversou um pouco com Ursula, que afirmou estar desanimada e até sem forças para falar muito. Viera junto com a amiga porque estava cansada de ir a médicos alopatas que indicavam remédios fortes, com efeitos colaterais destrutivos para seu organismo. Não sabia o que tinha, o último médico pelo qual havia consultado não chegou a um diagnóstico preciso. E agora estava se consultando com um outro que pediu vários exames e veio com esta história de remédios fortes.

Enquanto ela falava, Alice pediu licença para ir ao banheiro. Passou pelo pequeno hall e viu que felizmente a porta do escritório estava aberta. Quando retornou, Paul a olhou, todo cheio de meiguice e falou:

– E como vão as coisas?

– Tudo bem, mas estou tentando ajudar a minha amiga. Ela não quer usar a alopatia pesada que o médico indicou. Mas também não pode ficar sem remédios.

– E o que eu posso fazer para ajudá-las?

– Não sei exatamente. Você não conhece algum bom médico homeopata?

Ursula abaixou a cabeça, parecendo desfalecer. A respiração estava ofegante, aparentando cansaço. Fechou os olhos e fingiu estar passando mal.

– O que foi? Você não está nada bem. Ai, meu Deus, vamos para casa então! – disse Alice.

– Calma – pediu Paul – vou fazer um chá para ela.

– Mas chá de quê?

– Um chá de *Lactuca sativa*.

– O que?!?

– O nome popular da planta é 'alface'. E eu tenho algumas aqui no quintal.

– Alface? Tão simples assim?

– Simples assim. Deu para notar que ela está abalada também pela possibilidade de estar com alguma doença grave. Estou seguro de que não vai fazer mal algum.

– Mas ela não vai ficar com sono?

Ursula permanecia recostada no sofá, com os olhos fechados.

– Se ficar com sono, ela dorme. Eu vou colher a planta no quintal agora mesmo. E depois que ela tomar, pode descansar um pouco se quiser.

De repente ele se aproximou de Alice tocou o seu rosto com as mãos, num gesto de ternura e falou:

– Fique tranqüila que vai fazer bem. De acordo?

– De acordo, respondeu Alice, bastante surpresa com a atitude dele.

Paul se dirigiu para o quintal. Ursula ergueu ligeiramente a cabeça, abriu os olhos e piscou para Alice.

– Aproveita agora!

Alice virou-se na direção do hall, adentrando rapidamente a porta do escritório. Por felicidade o contrato estava lá, no mesmo local, bem em cima da mesa. Alice o pegou, colocando-o em uma bolsa grande, cujo formato era apropriado para guardar documentos sem ter que dobrá-los.

Ursula permanecia imóvel no sofá. Alice saiu do escritório olhando ansiosa na direção da porta da cozinha. Como a amiga podia representar tão bem? Nem Greta Garbo, nos bons tempos, teria tido um desempenho tão perfeito.

Paul lavou cuidadosamente a alface dentro do tanque que conservava em seu quintal. Apesar de morar na cidade, a horta, o herbário e o jardim davam à sua casa um aspecto interiorano. Quando não estava trabalhando em seus intermináveis catálogos e relatórios, ele ficava lá fora, cuidando de suas plantas e ervas.

– Enquanto você prepara o chá estou pensando em avisar a irmã dela, já que vamos demorar um pouco mais. Elas moram juntas e pode ser que fique preocupada.

– Pode usar o telefone.

Alice foi até a sala onde estava o aparelho e discou alguns números. Depois fingiu tentar de novo, para que Paul pensasse que não estava conseguindo.

– Daqui a pouco o chá estará pronto, disse ele, caprichando como se estivesse realizando um ritual.

– O telefone fixo chama e ninguém atende e o móvel está apenas com a caixa postal.

Depois de alguns minutos Ursula abriu os olhos e virou-se para Alice. A amiga fingiu tranqüilizá-la.

– Fique calminha que o Paul já vem com o chá.

– Eu acho que acabei cochilando. Deve ser o efeito daqueles remédios. È porisso que eu não gosto de tomar aquelas drogas – disse Ursula, continuando a "representação".

– Estou pensando em ir até a sua casa e deixar um bilhete para a sua irmã porque ela está incomunicável.

– Seria bom – respondeu Ursula – tentando parecer ainda meio desfalecida. Ela vai estranhar ao chegar e não me encontrar. Tanto mais que ela estava sabendo que eu não estava bem... E esta droga do meu celular... A bateria tinha que terminar justamente agora!

Paul entrou na sala a chávena de chá fumegante, sobre a bandeja. O típico estilo inglês. Não tão luxuoso como na casa da Sra Stevenson, porém feito com esmero e servido em louça de porcelana.

Quando ele entrou sala adentro, Alice já havia saído pela porta principal.

– Desculpe, mas a Alice foi até a minha casa. Ela não conseguiu falar com a minha irmã por telefone e achou melhor avisá-la pessoalmente. Não é longe daqui e volta num instante.

Alice correu até o shopping mais próximo onde ainda podia encontrar um serviço de xérox funcionando. Tirou uma cópia do contrato e voltou voando para o carro. Em poucos minutos estava de volta, agora vestida com um casaco que tinha deixado no carro de propósito, o qual tinha um bolso grande na parte interna, onde ela ajeitou o original. Teria que esperar o momento apropriado para colocá-lo de volta no lugar. Caso contrário deixaria pistas e se realmente *a segunda premissa* de Ursula fosse verdadeira ela estaria em papos de aranha.

Paul conversava calmamente com Ursula, quando Alice entrou. Ela fez a cara mais sonsa deste mundo e com um gesto da cabeça na direção da amiga, sem que Paul pudesse perceber, deu a entender que a primeira parte da façanha estava concluída.

– Conseguiu avisar a irmã dela? – disse ele, ainda preocupado.

– Sim.

– Então podemos conversar um pouco, agora. Sente-se, disse ele. Você também quer uma xícara de chá? Ou talvez um café?

– Se eu tomar este chá eu também vou ficar com sono e ainda pretendo trabalhar um pouco agora à noite.

Na verdade ela não ia trabalhar mais. Aliás, nos últimos tempos andava detestando trabalhar à noite. Fizera isso durante muito tempo, enfiada nos livros, mas agora estava tentando se organizar de um modo diferente. Estava sentindo também ela o cansaço das horas de sono perdidas e da falta de tempo para o lazer, o 'dolce far niente' puro e simples que o ser humano necessita para restaurar as próprias forças. E ela entendeu isto de forma mais clara após a viagem. Apesar de todos os imprevistos que tinham acontecido, a mudança de ambiente, os acontecimentos estavam realmente mudando seu modo de pensar.

Começava a entender que o Gabriel tinha razão. Afinal, ela vivia correndo atrás do que? Durante o dia o pensamento fluía melhor, as idéias ficavam mais claras.

E agora, a presença de Paul, com seus gestos carinhosos, a idéia de ter um relacionamento mais estável, tudo isso também estava "fazendo sua cabeça". Depois que a loucura desta missão terminasse ela realmente tinha que repensar sua vida.

Mas neste momento tinha que ser rápida e concluir logo a tarefa. Resolveu aproveitar que Paul estava entretido, conversando com Ursula, que ainda tentava distraí-lo e disse que queria dar uma lavada nas mãos.

– Fique à vontade, a casa é sua. Você já conhece o caminho.

Ela entrou furtivamente no escritório e colocou o contrato no mesmo local. Em seguida foi ao banheiro, lavou as mãos e também o rosto, para aliviar a tensão e saiu em seguida, bastante aliviada. Até que não tinha sido tão difícil...

Ao voltar para a sala, sentou-se um instante ao lado da amiga, tentando parecer natural. O que ele teria pensado? Ela saíra feita doida...

– Então, está melhor agora? – perguntou ele.

– Sim, este chá me fez muito bem – respondeu Ursula. E virando-se para Alice – Estive conversando com o Paul e ele me aconselhou a esperar o diagnóstico do médico. Ele acha que talvez o problema nem seja tão grave.

– E eu vou preparar um composto de ervas. Trata-se de um tônico muito bom para o organismo e ela pode ir tomando, até que tenha os resultados dos exames em mãos. Vou lhes dar também o telefone de um médico amigo meu, ele é ótimo.

– Vai preparar as ervas agora?

– Não. Estas coisas têm que ser feitas com calma. Eu ligo avisando quando estiver pronto.

– Ótimo! Eu também acho bastante sensato esperar.

– Sim. Não sei se você sabe, mas as plantas medicinais também têm efeitos colaterais e algumas delas são até tóxicas. Não podem ser ministradas aleatoriamente.

– É verdade. E voltando-se para Sara – E então, minha amiga, vamos embora?

– É cedo – disse Paul. – Você não quer mesmo um café ou um suco?

– Não obrigada. Fica para outro dia.

Ele ficou sério. Parou um instante perto dela, olhando-a atentamente, como se esperasse maior calor daquele encontro.

Alice beijou rapidamente sua face e saíram, sem mais delongas. Tendo entrado no carro, Úrsula começou a rir. Mas o senso de humor de Alice não estava tão bom.

– Você acha engraçado, não é?

– Foi muito bom ver você dando uma de investigadora. Sabia que leva jeito para a coisa?

– Na verdade eu detestei tudo aquilo. E agora, o que vamos fazer? A cópia do contrato está aqui finalmente.

– Podemos ir para a sua casa? Se você me permite, eu quero dar uma olhada nele ainda hoje.

– Tudo bem. Vamos até lá.

Capítulo XXVII

A verdade vem à tona mais cedo ou mais tarde

"– Quer dizer que você pensa que pode encontrar a resposta para isso?
– perguntou a Lebre de Março."

(Trecho do livro *Alice no país das maravilhas* de Lewis Caroll)

Úrsula leu o contrato inteiro. Anotou cuidadosamente o nome e os dados da empresa.

– Bem, por hoje basta. Agora eu vou para casa e amanhã começarei a pesquisar.

– Obrigada por tudo, minha grande amiga. E assim que você tiver algum resultado, por favor, ligue para mim.

No dia seguinte, logo cedo, Úrsula procurou o nome da empresa na lista de classificados, mas não encontrou. Logo em seguida saiu para trabalhar. Na hora do almoço ela checou o contrato novamente e resolveu ir até o local onde a empresa estaria supostamente instalada. Realmente obstinada, ela não se importou em ter que atravessar metade da cidade para chegar ao local. Finalmente, encontrou a rua cujo nome estava no contrato. A rua realmente estava lá. Porém, no número que constava ser o da empresa, funcionava uma padaria.

– Exatamente como eu suspeitava. O endereço é falso.

Ligou imediatamente para Alice.

– Já tenho a primeira pista sobre a empresa. Não há laboratório algum neste endereço.

– É mesmo? E o que vamos fazer?

– Não sei, mas continuarei investigando. Ah! Eu preciso de um favor seu. Mande-me uma cópia do contrato via fax. Quero verificar as condições da proposta de renovação do mesmo.

– Certo. Dê-me o número para o qual devo enviá-lo, então.

Já eram cinco horas e Ursula não tinha feito mais nenhum contato. Alice resolveu se concentrar nos seu trabalho, antes que Sara começasse a cobrar. De repente o telefone tocou.

– Deve ser ela – pensou Alice.

Mas na verdade o que soou foi a voz da inglesa, carregada de sotaque, do outro lado da linha.

– Minha governanta disse que a Sta. deseja falar comigo.

– Sim, desejo.

– Esperava que você tivesse vindo aqui para dar continuidade às traduções.

– O assunto é exatamente este.

Alice estava seriamente disposta a virar a mesa.

– Lamento ter que lhe comunicar que não poderei mais ir à sua casa para fazer as traduções.

– Como assim, não poderá vir?

– Não poderei, realmente. Por motivos de ordem particular.

– Mas nós temos um contrato. Você assinou e se comprometeu.

– Sinto muito, mas diante dos meus motivos, teremos que rescindi-lo imediatamente. Pedirei para o meu advogado ligar para a Sra e ele vai examiná-lo – disse, blefando – caso a Sra não concorde...

– Ahhn, como disse?? Seu advogado?! Bem, neste caso, já que os seus motivos são suficientemente fortes, conforme está me dizendo, podemos tentar fazer um acordo amigável. Eu pagaria pelos serviços prestados e...

– Não, não é necessário. Já que não poderei continuar eu prefiro abrir mão do pagamento.

– Então eu preciso falar com o meu marido. Espero que ele concorde com estas "novas condições", respondeu ela, agora parecendo mais cordata, e não autoritária, como de costume.

– Eu também espero. E aguardo o seu contato.

A inglesa estava visivelmente irritada. Andava em círculos pela sala enorme, enquanto esperava pelo marido.

Ele entrou, finalmente.

– Tenho boas notícias. O esquema está praticamente pronto. Só falta terminar o catálogo das plantas e....

– E eu tenho más notícias. A tradutora está se recusando a continuar trabalhando para nós.

– Como assim, se recusando?

– Recusa-se também a dar explicações.

– Isto é mau. Muito mau. E estranho também. Você acha que ela está desconfiando de alguma coisa?

– Tudo é possível.

– Neste caso, temos que ter cautela. Amanhã eu vou conversar com o editor que a indicou. Talvez, se ele conversasse com ela...

– Está bem. Depois que você tomar o seu banho eu vou mandar servir o jantar.

Já era bem tarde da noite quando o telefone de Alice tocou novamente. Era Úrsula.

– Você já estava dormindo?

– Não. Estava vendo tv, para me distrair um pouco. Hoje a inglesa me ligou e eu fiquei indignada. Acabei 'chutando tudo para o alto' e agora estava aqui pensando no que isto vai dar.

– Você vai ficar ainda mais irritada quando eu lhe disser o que encontramos naquele contrato.

– Pode dizer, a esta altura eu não me surpreendo mais com nada.

– Além do endereço “frio”, as condições de contratação são totalmente irregulares. Algumas claúsulas, tomando-se por base a legislação vigente apresentam falhas e não dá ao seu amigo Paul nenhuma margem de segurança empregatícia. Foi o que disse um amigo meu, experiente advogado, especialistas em direito trabalhista.

– Aqueles gringos sujos e safados!!! E o que eu vamos fazer agora?

– Acho que você terá que “abrir o jogo” com o seu amigo biólogo. Se ele assinar este contrato, vai se complicar ainda mais.

– Diante de tudo isto, quem vai se complicar mesmo sou eu, quando ele descobrir tudo a meu respeito. Sem contar que vai achar que eu sou “louca de pedra”.

– Agora cabe a você decidir o que fazer. A minha parte eu já fiz. De qualquer modo, agora sabe que pode contar comigo. A qualquer momento.

– Obrigada. Muito obrigada. É nos momentos difíceis que se conhecem o verdadeiro amigo. Voltaremos a falar.

A Sr Stevenson acordou, disposto a resolver a questão imediatamente. À primeira hora do dia ligou para o editor, seu amigo e explicou o que estava acontecendo. Disse que não entendera o porque da atitude de Alice, uma vez que o projeto parecia estar indo muito bem. Pediu-lhe que conversasse com ela, na esperança de que ele a convencesse a mudar de idéia.

Por volta das dez horas o Sr. Montês entrou em contato com Alice.

– Eu ia mesmo ligar para o Senhor. Afinal de contas, como a Sra. Stevenson me contratou através da sua indicação, estava me sentindo na obrigação de lhe pedir desculpas por não poder concluir a tarefa.

Alegou que o seu médico havia diagnosticado um forte stress, o qual se acentuara ainda mais nas últimas semanas.

– Mas por quê você não falou comigo? Poderíamos pensar em um programa de “desaceleração” no seu ritmo de trabalho, junto à nossa editora. Ou até, se fosse o caso, arrumar alguém para substituir você, por alguns dias. Sem prejuízo dos vencimentos, é claro.

– Mas o problema não é o trabalho com a sua editora. O senhor sabe que eu tenho também uma parceria com outra tradutora e ultimamente estamos bastante sobrecarregadas.

– Neste caso não há nada que eu possa fazer.

– Eu lamento muito e espero que compreenda.

– É claro que compreendo. Mas de qualquer modo, se você precisar de alguns dias para descansar, não se sinta constrangida em falar comigo.

O Sr. Montês deu um retorno imediato à inglesa e lhe explicou tudo.

– Neste caso teremos mesmo que rescindir o contrato com ela. E preciso também arrumar uma outra pessoa, o mais rápido possível.

– Eu lamento, mas não conheço nenhuma outra pessoa para indicar.

No dia seguinte ela marcou um horário para que Alice viesse assinar a rescisão. Em seguida ligou para Paul.

– Estou precisando de uma tradutora, com uma certa urgência. Você conhece alguém?

– Deixe-me ver... Ah, sim. Há uma moça que conheci recentemente. Chama-se Alice.

– Alice? Bem, eu acabo de rescindir o contrato com alguém que tem esse mesmo nome? Será que não é a mesma pessoa?

Paul descreveu a 'amiga' e a inglesa confirmou, dizendo que certamente deveria ser ela. Agradeceu e desligou sem mais delongas.

O biólogo ficou completamente intrigado. Então Alice trabalhava para a mesma empresa que ele e não lhe dissera nada? Mas por quê? Começou a achar tudo aquilo muito estranho. Resolveu ligar para ela com a desculpa de perguntar a respeito da saúde de Sara.

– Ela está um pouco melhor. Mas os resultados dos exames ainda não estão prontos. E você, já preparou o fortificante de ervas?

– Ainda não. Estive concluindo aquela catalogação de plantas. Mas amanhã estarei mais livre e poderei fazer o remédio. Você não quer se encontrar comigo para pegá-lo? Poderemos aproveitar e tomar um café em algum lugar.

– Olha Paul, para falar a verdade, você não precisa mais preparar o extrato. Mas eu aceito o convite para o café. Até porque preciso lhe falar.

Marcaram a hora e o lugar. Logo em seguida Alice ligou para Úrsula. Contou-lhe que já havia rompido o contrato com a inglesa e falou também sobre o contato com Paul e a decisão de lhe contar tudo.

– Fez muito bem. Para ser sincera, eu acho que chegou mesmo o momento de você 'abrir o jogo' com ele.

– Ele queria se encontrar comigo para entregar a 'sua poção' e em seguida tomarmos um café. Mas eu estava pensando que posso até dizer a ele o que está havendo e falar sobre o esquema da pirataria, a empresa irregular e o contrato 'ilegal' que ele está prestes a assinar. Mas eu juro que eu não vou dizer como descobri tudo isto. E também não vou falar sobre as *viagens*.

– Você é quem sabe. O importante é que ele tome conhecimento de toda a verdade, o mais rápido possível. Talvez possa até nos ajudar a tomar uma atitude contra a empresa.

Alice marcou com Paul às 19 horas, no Café Slug. Uma hora antes do encontro tomou um banho e colocou um vestido de seda rosa juntamente com sandálias na cor gelo, combinando com uma bolsa da mesma cor. Maquilou-se cuidadosamente e pegou um casaco leve.

O clima estava ameno e a noite agradável. Quando ela chegou no café, Paul já a esperava, com uma certa ansiedade. Ele trajava uma calça verde escura e uma camisa esporte, na cor areia. Seus olhos azuis estavam mais brilhantes e reluzentes do que nunca e Alice sentiu seu coração bater mais rápido ao vê-lo lá sentado, olhando o cardápio que o garçom trouxera.

Ele a beijou no rosto e puxou a cadeira para que se sentasse.

– Um cavalheiro mesmo... – pensou ela.

Alice disse que a amiga não ia mais precisar do remédio e que ele iria entender tudo depois que ela lhe explicasse o que realmente estava acontecendo. Bebeu um gole do cappucino que haviam pedido, enquanto procurava as palavras para começar a falar. Não tinha a menor idéia de como iria abordar o assunto. Lembrou-se de uma vez em que precisava ter uma conversa difícil com Jan e foi se aconselhar com o velho amigo Gabriel.

– Não sei como falar com ele, estou me sentindo confusa e insegura – disse ela, na ocasião.

– É muito simples. Comece do princípio.

– Bem, isto é obvio!

– Sim, é bastante óbvio. Mas quando nos deparamos com uma situação deste tipo, esta 'dica' pode ser bastante válida, para evitar que os pensamentos fiquem confusos, na hora de abordar o assunto. Além disso, você pode começar falando como se estivesse conversando com outra pessoa. Faça de conta que o seu interlocutor é um amigo ou amiga, que sejam particularmente compreensivos.

A verdade é que as 'dicas' tinham funcionado muito bem na ocasião e a conversa com o Jan fluira sem maiores problemas. Mas agora ela estava diante de alguém que mal conhecia, e que além de ser particularmente interessante, poderia ter uma reação completamente inesperada.

De qualquer maneira tinha que criar coragem e falar de uma vez. Quanto mais esta situação se prolongasse pior seria.

Ela sorveu mais um gole de café, suspirou longamente e depois olhou para ele.

– Sabe, Paul, preciso lhe falar de algumas coisas que estão acontecendo comigo e, por mais estranho que possa parecer, com você também. Confesso que não vai ser fácil falar sobre isto, mas o que vou te revelar envolve a empresa para a qual você trabalha e também pessoas em quem você confia.

Os olhos de Paul se fixaram nela. Estava curioso e surpreso a um só tempo. Alice contou tudo sem, porém mencionar as '*viagens*' e a maneira como o vira pela primeira vez, naquela *tela virtual.*

– Não é possível! Certamente você está enganada. Aliás, você não agiu de forma correta. Ontem a Sra Stevenson falou comigo e me disse que você também trabalhou no projeto. Como é que você explica isto? E por que não falou comigo antes, se já sabia de tudo?

– Eu não podia. Além disso, eu também não tinha certeza de nada... Só pude comprovar tudo depois que vimos o seu contrato.

– Mas você poderia pelo menos ter compartilhado suas dúvidas comigo. E de mais a mais, quem lhe deu o direito de me investigar desta maneira? Você e aquela sua amiga entraram na minha casa, simularam toda aquela situação... Desculpe-me, eu não quero ouvir mais nada.

Ele estava visivelmente nervoso e irritado. Virou-se para o garçom e pediu a conta. Alice mal teve tempo de tirar a carteira. Ele pagou e, levantando-se em seguida, olhou para ela, completamente decepcionado.

– Até mais ver, Sta Alice... – disse ele, saindo em seguida.

Alice nem pode fazê-lo perceber que não fizera tudo aquilo apenas para bisbilhotar sua vida. Como lhe demonstrar que estava falando a verdade?

– Droga, foi tudo por água abaixo! – pensou ela, enquanto seus olhos se enchiam de lágrimas.

Capítulo XXVIII

Finalmente Paul se torna mais um aliado

"– Gostaria de ver tudo isso explicado
– disse a Falsa Tartaruga."

(Trecho do livro *Alice no país das maravilhas* de Lewis Caroll)

Na manhã seguinte Alice ligou para Ursula e contou-lhe que a conversa que tivera com Paul tinha sido horrível.

– Ele ficou furioso. Nem bem terminou o café e foi embora, me deixou praticamente falando sozinha. Mal consegui me explicar...

– Mas já era de se esperar que isto iria acontecer...

– Eu sei. Mas o que é que eu devo fazer agora?

– Espere um pouco até que fique mais calmo. Depois você liga de novo explicando-se melhor e pedindo desculpas outra vez.

– Está bem. Mas eu também não poderei esperar muito. Já imaginou se ele assina aquele bendito contrato?

– Bem, eu acho que apesar da reação que teve, vai analisar um pouco melhor antes de fazer isto.

– É o que eu espero.

– Bem, agora preciso voltar ao meu trabalho.

Alice tentou se concentrar na tradução, mas estava muito difícil. A todo momento seu pensamento se desviava. Depois de algumas horas de esforço para concluir um dos primeiros capítulos do livro que ela e Sara estavam começando a traduzir, resolveu parar um pouco e tomar um suco.

Sentou-se na sala e colocou uma música no aparelho de som. Em seguida recostou-se no sofá. Já podia sentir a leve brisa de outono entrando pela janela e a tarde parecia morrer mais cedo do que nos últimos dias quentes de verão. A imagem insistente de Paul reapareceu: seu olhar, desta última vez tão apreensivo, o vestuário caprichado para o encontro, o perfume.

– Que pena! Acho que ele nunca mais vai querer saber de mim...

A manhã de quarta-feira já estava também um pouco mais fria. Ainda assim Alice acordou cedo e, após ter colocado uma blusa leve de meia estação, reiniciou seu trabalho. Por volta das dez horas ligou para Paul. Estava disposta a explicar-se de novo e tentaria novamente convencê-lo a examinar melhor o contrato antes que fosse tarde demais.

Paul atendeu sua ligação, mas sua voz estava seca e ele pediu para que ela fosse breve, alegando estar bastante ocupado.

– Estou ligando para me desculpar com você, mais uma vez. E quero também te pedir para não assinar este documento. Procure examiná-lo com mais cuidado. Estou lhe dizendo que por trás de toda esta aparência de 'empresa conceituada' há uma grande farsa que pode nos comprometer seriamente. Você me parece uma pessoa tão ponderada e racional, por favor, faça o que estou lhe dizendo!

Paul se esforçava para não demonstrar fraqueza, agora ao som da voz dela, que já lhe parecia tão querida. Mas Alice continuou falando e argumentando de tal modo que ele acabou concordando em ler o contrato com mais calma e caso achasse necessário, consultaria alguém, antes de assinar.

– Assim que você fizer isto, entre em contato comigo. E seria mesmo muito bom que você pedisse o parecer de alguém de sua confiança.

Paul acabou concordando, mas ainda assim, despediu-se com frieza. Estava visivelmente magoado.

Já eram vinte horas quando Úrsula ligou para Alice.

– Fico contente em saber que você conseguiu contornar a situação.

– Mas não pense que foi fácil. Agora precisamos pensar o que faremos quando ele finalmente admitir que está sendo enganado.

– Teremos que convencê-lo a denunciar o esquema.

– Você acha que devemos?

– Não só devemos como também não temos outra saída. Se não o fizermos, a empresa vai continuar com suas falcatruas, assaltando nossas preciosas plantas e, o que é pior, envolvendo outras pessoas ingênuas que, como você e Paul, poderão concordar em trabalhar para eles, sem saber que estão sendo enganadas.

– Bem, como dizia o Gabriel, vamos por partes. Primeiro vou esperar o resultado da minha conversa com Paul.

– E por falar em Gabriel, você não falou mais com ele?

– Não. Mas estava pensando em ligar para lhe contar as novidades.

– Por que você não o convida para vir até a minha casa esta noite? Podemos fazer uma pizza. E também tomar um vinho e conversaremos, como nos velhos tempos.

– Como nos velhos tempos... Era muito bom. Está bem. Vou ligar para ele.

Na mesma noite Gabriel apanhou Alice em sua casa e ambos foram para a casa de Ursula. Conversaram longamente sobre os últimos acontecimentos e a noite acabou ficando muito animada.

– Vocês são mesmo doidas! Entrar lá e pegar o contrato! Não foi à toa que o sujeito ficou tão furioso – disse Gabriel, rindo muito, diante de toda aquela situação patética.

– Você precisava ver a cara dele quando eu contei toda a verdade. Só faltou me comer com os olhos.

– Não é para menos. Depois de todo o teatro que vocês armaram...

A hora passou rápida e depois de conversarem também sobre outros assuntos variados, Gabriel se ofereceu para deixar Alice em sua casa.

– Não precisa se preocupar, eu posso pegar um táxi.

– Imagine. Vamos – disse ele – aceite esta cortesia de seu velho amigo.

– Então, vamos.

Desceram em silêncio e Alice notou que ele parecia bastante tranqüilo. Entraram no carro e enquanto ele guiava, comentou:

– Estou feliz que você tenha decidido tomar estas atitudes.

– E eu estou me sentindo bem mais aliviada. Mas e você, como é que está?

– Você quer dizer, em relação ao que eu estava sentindo por você?

– Sim.

– Estou bem. Acho que até já estou superando. Mesmo porque não posso forçá-la a sentir algo que só poderia brotar espontaneamente. Creio que podemos continuar amigos, como sempre fomos.

– Isto me deixa feliz.

No dia seguinte a cidade amanheceu com uma garoa fina e a temperatura já estava bem mais fria. Era o outono mostrando que chegara realmente e, agora para ficar. Alice abriu a janela e ficou olhando para uma árvore muito antiga que havia do outro lado da rua, no meio da calçada. Ela morava no quarto andar e já podia ver as primeiras folhas secas caídas no chão, dando ao ambiente um aspecto ainda mais bucólico.

Em seguida preparou um gostoso café que tomou com leite, queijo e um pedaço de fruta. Tirou o pijama de malha e vestiu o velho e aconchegante moletom acinzentado, colocando também um par de meias para aquecer os pés.

Em seguida ligou o computador, checou os e-mails, mas não havia nada vindo dos amigos. Somente alguns contatos da editora e uma mensagem de Sara, pedindo-lhe para ligar. Ela ligou e combinaram que enviaria os três primeiros capítulos do texto já traduzidos, até o final da tarde.

Estava totalmente concentrada quando o telefone tocou. Era Paul, finalmente.

– Desta vez sou em quem precisa lhe pedir desculpas – disse ele, num tom bem mais amigável que da última vez.

– O que houve?

– Podemos conversar pessoalmente? Agora entendo que você estava realmente tentando me alertar. E eu, que fui tão grosseiro...

– Sim, se você prefere, podemos sim falar pessoalmente. Mas aonde?

– Que tal aqui na minha casa? No fim da tarde. Está bem para você?

– Sim. Às 18:30, então. Estou terminando um texto e depois deste horário estarei livre.

– Eu estarei esperando.

Alice se apressou para finalizar o trabalho e enviar o e-mail para Sara. Por volta das 17:30 desligou o computador e foi se arrumar. Vestiu uma calça jeans bordada e um conjunto no estilo 'twin set' azul claro. Caprichou na maquilagem e depois de passar seu perfume predileto, o eterno "Calendre" de Paco Rabane, desceu até a garagem para pegar o carro.

Ao chegar na casa de Paul notou que ele também se arrumara cuidadosamente para esperá-la. Por coincidência também trajava jeans e uma camisa verde clara. Nos pés um sapatênis esportivo e a mesma fragrância suave que usara no último dia em que tinham se encontrado.

– Eu acabei de preparar um café – disse ele, beijando-a suavemente no rosto. – Venha comigo.

Entraram na cozinha e Alice sentou-se, notando que ele caprichara também na arrumação da mesa. Havia pães de queijo, biscoitos e o café, que estava fumegante.

– Você quer um pouco de leite?

– Não, eu prefiro puro.

– Então sirva-se, por favor. Espero que ainda se sinta uma pessoa da casa. E que aceite minhas sinceras desculpas.

Enquanto Alice provava o pão de queijo e bebia o café, ele lhe explicou que, diante dos argumentos dela, decidira finalmente falar com o seu advogado. Era alguém de sua inteira confiança, um profissional que normalmente o assistia, quando havia necessidade. E infelizmente ele também encontrou irregularidades no contrato. Por este motivo Paul lhe pediu para investigar a empresa e se Alice estivesse de acordo, diante destes fatos, poderiam pressionar os ingleses e fazê-los responder pelos crimes que estavam praticando.

– Ainda bem que você resolveu me ouvir. Eu jamais faria algo que pudesse magoá-lo, assim, gratuitamente. Aliás, Deus sabe o quanto eu gostaria de não estar envolvida em tudo isto.

– Mas como foi que você se envolveu?

– É uma longa estória – disse ela. – Na verdade foi o meu editor que me indicou para trabalhar com eles. Na ocasião eu...

Alice contou-lhe tudo, mas não mencionou *as viagens* e o contato com *as extraterrestres.* Ao terminarem o café Paul a convidou para se sentar na sala. Tudo parecia mais tranqüilo agora que estavam começando finalmente a se entender. Conversaram ainda mais algum tempo sobre toda aquela trama e por fim ele perguntou se ela queria assistir a um vídeo que mostrava uma de suas viagens, na qual ele pesquisou algumas espécies nativas, quando escrevia sua tese de doutorado.

Ela concordou e foram para a sala. Ele desligou a luz principal e acendeu a do abajur que ficava no canto da sala, ao lado do sofá, colocando, em seguida, o vídeo para rodar.

Enquanto assistiam, ele teceu alguns comentários sobre as plantas e os lugares onde estivera. Aquele ambiente acolhedor, a presença dele ali, sentado bem a seu lado, seu perfume envolvente, tudo parecia conspirar para que aquela noite se tornasse especial.

Quando terminaram de assistir a fita ele perguntou se ela gostara.

– Gostei muito. Para mim tudo o que você faz parece ter um toque de carinho e dedicação. Foi por isto que fiquei tão preocupada ao vê-lo...

Paul não esperou que ela terminasse.

– Posso lhe dizer uma coisa? – disse ele, interrompendo-a. Aproximou-se ainda mais, sentando-se bem perto dela. – Eu também achei você uma pessoa muito especial, desde o primeiro dia em que a vi. Mas confesso que sempre me pareceu um tanto distante e arredia. Seria porque tem alguém, algum namorado?

– Não, eu não tenho nenhum namorado. Mas já tive alguém. Só que não deu certo e isto me fez sofrer muito. Talvez seja porisso que pareço arredia.

– E eu posso saber o que houve? Por que você sofreu tanto?

– Desculpe-me, mas isto é coisa do meu passado. Eu prefiro não dizer nada a respeito. Pelo menos, não agora.

– Neste caso, você é livre. E eu posso fazer o que tenho vontade desde o primeiro dia em que a vi. Isto é, desde que você me permita...

Alice mal teve tempo de titubear e ele lhe deu um longo e profundo beijo. Ela ficou ali, meio atônita e confusa, sem conseguir fazê-lo parar. Após o beijo ele continuou acariciando seus cabelos, mas Alice sentiu que era melhor parar.

Ela se afastou suavemente e ele deu um sorriso.

– Bem, acho que devo ir agora, se você não se importa.

– É cedo ainda. Posso lhe fazer uma pergunta?

– Sim.

– Você gostou?

– Não posso dizer que não.

– Então vamos sair juntos. Podemos ir ao cinema.

– Podemos. Mas só depois que dermos encaminhamento a estas questões pendentes com relação à empresa.

– Está bem. Fique tranqüila que eu vou pedir para o meu advogado agilizar as investigações.

Alice pegou o casaco que havia tirado e que estava no sofá. Paul se aproximou para ajudá-la a vesti-lo. Ela foi caminhando na direção da porta e se despediram com um leve beijo na boca.

Capítulo XXIX

Jan 'ataca outra vez'

"Oh, é o amor, é o amor,
que faz o mundo girar!"

(Trecho do livro *Alice no país das maravilhas* de Lewis Caroll)

Alice acordou mais cedo, mas ficou ainda algum tempo deitada, pensando em tudo o que acontecera na noite anterior.

Porém ela sabia que para ter realmente sossego teria que se concentrar em uma única coisa: pensar em como fariam para desmascarar a empresa, agora que já tinham os argumentos necessários para isto. Depois de algum tempo levantou-se e resolveu ir ao mercado porque estava precisando de mistura para o almoço e também de algumas frutas e verduras. Colocou um casaco e saiu, enfrentando o friozinho da manhã.

Quando voltou, o porteiro se dirigiu a ela.

– Chegou algo para você, disse ele – entregando-lhe um lindo buquê de flores. – O rapaz da floricultura acabou de deixá-las aqui.

Alice, surpresa, pegou as flores e leu rapidamente o cartão que viera junto.

"Aceite estas flores de alguém que ainda a considera uma pessoa muito especial. Estou na cidade. Ligue para mim. Estarei esperando. Jan".

– Era só o que me faltava, pensou ela. – Por favor, guarde o buquê para mim, por uns instantes. Vou subir com as compras e já venho pegá-las – disse ela.

Enquanto subia, sua cabeça começou a trabalhar rapidamente. Exatamente agora que estava começando a se envolver com Paul e afinal de contas, estava prestes a resolver os problemas com a empresa, ele reaparecia. Poderia simplesmente não ligar, ignorando o número que estava no cartão. Mas ela não tinha tanta certeza de que era isto o que queria: fazer de conta que não estava acontecendo nada. Ou pelo menos, talvez não fosse isto que o seu 'coração' desejava. Caso contrário, nem teria ficado tão agitada.

Colocou os pacotes na cozinha e desceu de novo para pegar o buquê. Em poucos minutos ela o apanhou e subiu de novo. Eram rosas vermelhas, fresquinhas e perfumadas. Realmente lindas. Ele sabia como agradar uma mulher! Pegou um vaso dourado que guardava há anos e que tinha sido presente de sua mãe, encheu-o de água e ajeitou nele as flores. Em seguida trocou a toalha da mesa de centro e depositou ali o lindo arranjo.

Em seguida resolveu ligar para a amiga Ursula, para lhe contar a novidade.

– Adivinha quem está na cidade?

– Não faço a menor idéia.

– O Jan.

– Sério? E como é que você sabe?

– Ele acaba de me enviar um lindo buquê de rosas vermelhas, juntamente com o número do seu celular. Disse que está esperando minha ligação.

– Nossa! Como você é poderosa!

– Não sei se sou poderosa ou se estou começando a me complicar.

– Se complicar? Mas por que?

– Bem, ontem eu fui até a casa do Paul, a pedido dele.

Alice contou tudo o que tinha acontecido, e a amiga a ouviu com a mesma compreensão de sempre.

– Sabe o que eu acho? – disse ela – Você tem que ouvir a voz do seu coração. É verdade que o Paul se tornou uma pessoa muito especial para você, mas se você ainda gosta do Jan, vai acabar realmente se complicando. Ficar com uma pessoa pensando em outra...

Enquanto a ouvia, o celular de Alice tocou. Era Sara. Precisava atender. Despediu-se de Úrsula, combinando que falaria com ela mais tarde.

– Estou ligando para você desde ontem.

– Desculpe-me. Eu andei saindo, precisei fazer umas compras, mas já ia te ligar. As duas, como de costume, passaram a falar de trabalho. E como havia muito que fazer, ela resolveu colocar a "mão na massa".

Eram vinte horas quando finalmente Alice desligou o computador e sentou-se no sofá da sala. Tinha acabado de ligar a tv para assistir o jornal quando o telefone tocou, mais uma vez.

– Tudo bem com você? – perguntou Paul – Estou ligando para lhe avisar que já tenho a documentação necessária para denunciar a empresa. O meu advogado me aconselhou a agir o mais rápido possível. Se você estiver de acordo, poderemos resolver isto amanhã mesmo, logo pela manhã.

– Sim. – respondeu ela, sem prolongar muito a conversa.

Paul ligou em seguida para a empresa e falou diretamente com o Senhor Stevenson. Disse que ele e a Sta Alice iriam até lá, na manhã seguinte porque coisas muito graves estavam acontecendo. O empresário farsante mostrou-se surpreso, mas diante da firmeza de Paul, sentiu-se intimidado, concordando imediatamente com o encontro.

Contou tudo para sua esposa e ela se sentiu também bastante intimidada.

– E se eles descobriram toda a verdade?

– Não sei, não sei. Acho difícil que eles possam provar alguma coisa. Mas antes de tirarmos qualquer conclusão, vamos ouvi-los primeiro.

Na manhã seguinte, por volta das 9 horas Paul e Alice chegaram na casa do casal Stevenson, acompanhados do advogado dele.

– Eu vim aqui para comunicar-lhes que não vou assinar este contrato porque felizmente a Sta Alice me alertou sobre as irregularidades contidas nele e as muitas outras coisas erradas que envolvem as atividades da empresa.

A conversa foi longa e Paul avisou que iriam entrar com uma ação pedindo indenização. E também com uma denúncia sobre as outras irregularidades que a empresa vinha cometendo. O casal ficou atônito, mas pediu dois dias para pensarem no que poderiam fazer. Talvez pudessem propor um acordo, através do qual eles não ficariam prejudicados e poderiam até continuar trabalhando, caso quisessem.

– De jeito nenhum. Tratem de começar a trabalhar de uma maneira diferente, porque a partir de agora vocês terão que prestar contas à justiça.

– Mas nos teremos que falar com os outros acionistas. Vocês sabem que não estamos sozinhos nesta empreitada.

– Bem, isto é problema de vocês, disse Paul. Podemos até esperar até amanhã, mas não contem com nenhum 'acordo fajuto' porque nós não vamos concordar.

Os três saíram sem mais delongas e Alice deu os parabéns a Paul. Após terem se despedido do advogado dele, que ainda iria para o escritório, ele levou Alice até sua casa.

– Você foi muito firme, gostei de ver.

Ele parecia mais tranqüilo. Ao chegar lá, antes de se despedir ele disse que iria conferir a programação do cinema no jornal. Se estivesse passando algum filme interessante, ele sugeria que fossem ver, ainda esta noite. Afinal de contas, ambos mereciam algumas horas de entretenimento, depois de tanta tensão.

Alice concordou e chegando em casa, retomou seu trabalho. No meio da tarde Paul ligou novamente e combinou de apanhá-la às dezenove horas. Havia um filme de suspense em cartaz, que parecia interessante.

Ela tinha acabado de se trocar quando Paul tocou o interfone. Pensou em convidá-lo para subir um instante. Mas a lembrança de Jan logo veio à sua mente.

– Acho que não devo – pensou.

Desceu em seguida e quando entrou no carro os olhos de Paul se iluminaram.

– Você está mais linda do que nunca.

– Obrigada – respondeu ela, sorrindo.

– O que você achou da "cara de tacho" do belo casal hoje de manhã?

– Para falar a verdade, não estou tão otimista quanto você, com relação à solução deste caso.

– Por que?

– Não sei exatamente. Mas algo me diz que eles ainda vão dar muito trabalho.

– É possível – respondeu Paul.

Após estacionar o carro ele desceu e, cavalheiro como sempre, abriu a porta para que ela também descesse. Em seguida ele pegou na sua mão e caminharam até o cinema.

O filme era envolvente e eles se concentraram no enredo. As horas passaram rápidas e quando saíram do cinema ele a convidou para irem comer uma pizza em algum lugar.

– Acho melhor deixarmos para outro dia. Tenho bastante trabalho para amanhã. Eu e Sara estamos com pouco tempo para concluir este livro. Não posso me deitar muito tarde.

– Você está me parecendo preocupada hoje. É por causa do problema da empresa?

– Talvez – disse ela – procurando não deixá-lo perceber que havia acontecido algo que poderia mudar o rumo das coisas, entre eles.

Tinham acabado de entrar no carro quando o celular dela tocou. Alice olhou no visor e identificou o número do Jan.

– É a Sara – disse ela, mentindo. – Prefiro ligar para ela quando chegar em casa. Provavelmente quer combinar de vir amanhã ao meu escritório para fazermos a revisão dos primeiros capítulos.

Ambos permaneceram em silêncio durante o restante do trajeto de volta para casa. Ao chegarem Alice se despediu com um beijo rápido, deixando Paul bastante desapontado.

Assim que ela entrou em casa, pegou o celular e verificou as ligações não atendidas, enquanto estava no cinema. Duas eram de Jan e havia também uma de Ùrsula.

Seu coração ficou trêmulo ao identificar o número do ex-namorado.

– Acho melhor ligar para ele de uma vez. Seja o que Deus quiser...

A campainha do celular de Jan tocou apenas duas vezes. Ele atendeu e Alice mal podia acreditar que estavam tão próximos.

– Você recebeu as flores que eu te mandei? Fiquei esperando que me ligasse, mas como isto não aconteceu eu resolvi tomar a iniciativa. Espero não estar atrapalhando.

– Recebi sim, são lindas. Obrigada, você foi muito gentil. E o que está fazendo por aqui? Passeando?

– Não exatamente. Sabe, eu gostaria muito de te ver. Acho que temos muita coisa para conversar. Que tal irmos almoçar juntos amanhã?

– Amanhã terei um dia cheio e acho que vai ser difícil, principalmente na hora do almoço.

– Então à noite. Podemos ir a um barzinho e assim teremos tranqüilidade para colocar os assuntos em dia.

– Eu vou verificar. No meio da tarde entro em contato com você.

– Está bem. Ficarei aguardado. Um beijo.

O coração de Alice ainda estava acelerado quando desligou. A voz dele, seu charme e carisma eram realmente marcantes e 'balançavam' completamente toda a sua estrutura. Um encontro! Como seria agora, depois de tantos anos, um encontro? Tudo parecia exatamente da maneira como alguém dissera, uma ocasião: agora que eu encontrei todas as respostas, mudaram as perguntas.

A cabeça dela estava a 'mil por hora'. Trocou de roupa e foi se deitar, mas seu pensamento estava ainda 'disparado'. Lembrou-se do beijo de Paul. Ele era gentil e delicado. Mas o Jan era másculo, viril. E para ser honesta consigo mesma, os beijos dele eram incomparáveis e ainda estavam marcados dentro de sua alma, como se tivessem sido impressos de modo que se propusessem a ser eternos.

Ficou virando de um lado para o outro, sem conseguir conciliar o sono ainda por um bom tempo, até que conseguiu finalmente relaxar e adormeceu.

Na manhã seguinte Sara ligou para Alice logo cedo.

– Mas que raios estão acontecendo com você? – disse ela irritada. Eu ligo para o escritório e não te encontro, ligo para o seu celular e só atende a caixa postal...!

– É você tem razão. Preciso lhe dar uma explicação. E você pode vir hoje para fazermos a revisão, conforme o combinado e depois conversaremos com calma.

Capítulo XXX

Um reencontro emocionante

"... e ao se aproximarem
Alice pode ouvi-la suspirar como
se tivesse o coração partido."

(Trecho do livro *Alice no país das maravilhas* de Lewis Caroll)

Dois dias depois o Sr e a Sta Stevenson ligaram para Paul dizendo-lhe que estavam dispostos a propor-lhes o pagamento de uma boa 'propina', desde que eles 'esquecessem' toda aquela história de processos e denúncias. Alegaram que não sabiam do esquema ilegal e que a culpa era dos outros acionistas, sócios da empresa.

– A desculpa é sempre esta. As pessoas agem errado e depois nunca sabem de nada, nem se lembram do que fizeram... – disse Paul. – Não contem comigo para este tipo de acordo. E tenho certeza que a Sta. Alice também não vai aceitar, finalizou ele.

Assim que desligou Paul resolveu falar com o seu advogado. Iria propor a denúncia e entraria também com uma representação. O Dr. Ricardo concordou e disse que se não o fizessem logo, o casal poderia tentar fugir para a Inglaterra, tornando tudo ainda mais difícil.

Desta forma lhe orientou a agir rápido, antes que as conseqüências fossem maiores e mais devastadoras.

Paul ligou em seguida para Alice, comunicando-lhe o que havia decidido e perguntando-lhe se o próprio Dr. Ricardo não poderia cuidar também da representação dela. Alice concordou e ele disse que faria contato com ela ainda naquela mesma noite para contar-lhe tudo o que o advogado dissera, com mais detalhes.

Assim que ele desligou, Alice voltou para o seu trabalho. Tinha a intenção de terminar pelo menos mais dois capítulos do livro, até o fim da tarde. Era um romance de cunho histórico, com grau de dificuldade razoável. Apesar da experiência das duas parceiras, precisavam pesquisar e reler o texto inúmeras vezes para ter a certeza de que haviam feito as melhores escolhas de palavras e expressões correspondentes, no português. Não fosse a paixão que tinham pelo seu ofício, o cansaço e as horas intermináveis que passavam trabalhando no computador seria um suplício ainda maior.

Como de costume ela colocou um cd no aparelho de som e começou a digitar. Mas, longe de conseguir se concentrar, seu pensamento lhe trouxe a lembrança da voz de Jan, agora tão pertinho dela. No íntimo, sabia que queria muito reencontrá-lo, mas tinha medo do que poderia acontecer. E se estivesse só de passagem e logo voltasse para a cidade onde morava e trabalhava? Seus sentimentos poderiam se reacender e depois teria que vê-lo partir de novo. Trocou o cd, na esperança de se concentrar melhor e de esquecer a imagem dele.

Eram duas da tarde em ponto quando terminou o capítulo XV. Resolveu parar para almoçar e em seguida ligou um pouco a tv. Queria ver a previsão do tempo, no jornal de notícias. Mas a lembrança insistente do ex-namorado voltou ao seu pensamento.

– Acho que vou ligar para ele de uma vez. Do contrário, nem vou conseguir trabalhar.

Com as mãos um pouco trêmulas ela discou o número do celular. Ele atendeu, logo após o primeiro toque.

– Oi. Tudo bem com você? – disse – mostrando-se tranqüilo e receptivo.

– Sim. Mas trabalhando muito, como sempre. E você, quanto tempo vai ficar na cidade?

– Vou ficar mais alguns dias. Eu estou fazendo uma pesquisa.

– Pesquisa?

– Sim. Mas porque não marcamos um encontro? Que tal esta noite? Eu tenho algo importante para lhe dizer.

Alice estava cada vez mais intrigada e acabou concordando com o encontro. Às 20 horas, ele viria apanhá-la.

De repente, as cenas do relacionamento feliz que eles viveram há tempos ressurgiram na sua mente, como um 'flash' instantâneo e rápido. As noites em que saiam, os filmes que assistiam, as viagens...

Porém, quando a empresa o mandou trabalhar em outro estado, tiveram início os desentendimentos. Ele não queria perder a oportunidade de crescimento profissional que estavam lhe oferecendo. E ela, por sua vez, tinha acabado de montar o escritório e começava a ter uma boa clientela. Mas o que complicava ainda mais a situação era a mãe de Alice, idosa e com problemas de saúde. Isto tornava completamente inviável uma mudança de cidade, ainda mais para um lugar tão distante.

Um dia eles acabaram tendo uma discussão acirrada e terminaram tudo, tendo se separado. Jan foi embora e acabou se envolvendo com uma outra moça. Mas o relacionamento entre eles não durou muito tempo. Depois de alguns meses ele voltou a fazer contato com Alice, mas ela, que ficara sabendo daquele envolvimento, através de amigos comuns, ficou muito magoada e pediu para que ele não a procurasse mais. Daí para frente teve que se empenhar muito nos cuidados com a mãe e também no seu trabalho. Algum tempo depois, quando a velhinha veio a falecer, ela recebeu muito apoio dos amigos, mas não foi fácil. E depois disto, a solidão passou a atormentá-la ainda mais.

E agora, depois de tanto tempo, ele estava ali de novo, bem pertinho, insistindo para revê-la. Ela se sentia surpresa e ansiosa a um só tempo. E o medo de um reencontro era muito grande. Se tudo desse errado de novo, seria ainda mais terrível. E de certa forma, ela sabia que agora poderia contar com Paul. Mas o pior é que, no fundo, sentia que com Jan tudo era diferente. E para ser sincera consigo mesma, tudo muito mais intenso e verdadeiro.

Resolveu afastar os pensamentos e voltar ao trabalho. Finalmente às 18 horas, tendo traduzido mais um capítulo, foi tomar um banho. Em seguida, abriu o guarda roupa e ficou pensando no que iria vestir. Finalmente resolveu optar por uma saia de veludo marrom e uma bota da mesma cor. A blusa seria rosa, com gola olímpica e de lã, para enfrentar o friozinho da noite. Caprichou também na maquiagem, e o perfume, o toque final, era o de sempre: Callendre.

Às 20 horas e dez minutos o interfone tocou. Era ele. Alice pegou a bolsa e desceu.

Jan estava no hall social do elevador. Trazia nas mãos um pacote e quando a viu, seu rosto se abriu em um sorriso radiante.

– Quanto tempo! Posso te abraçar?

Os olhos dela não puderam disfarçar a emoção e se encheram de lágrimas.

– Pode – respondeu, com a voz entrecortada.

Ele a tomou nos braços e a abraçou longamente.

– Mas você está chorando?

– Desculpe-me. Estou emocionada. Faz tanto tempo...

– Tome – disse ele, tirando um lenço do bolso. – Meu carro está bem ali. Ah, já ia me esquecendo. Isto é para você – e entregou-lhe o pacote que trazia.

Ele estava um pouco mais velho, era óbvio. Mas tinha o mesmo charme e o carisma de sempre. E o sorriso, agora despreocupado e franco, faziam-no ainda mais simpático e atraente.

– Melhorou? – perguntou ele, pegando na sua mão e levando-a até o carro.

– Sim, eu estou bem. Mas deixe-me abrir isto.

Ela desfez o pacote. Era uma linda echarpe, verde musgo, muito elegante.

– É linda! E verde, minha cor predileta! Você se lembrou...

– Como poderia esquecer? – disse ele. – Que bom que você gostou.

– Aonde vamos? – perguntou ela.

Ele trajava um jaqueta cinza e uma calça jeans. O cabelo estava bem aparado e a barba cuidada, tinha realmente um bom aspecto.

Alice sentia-se como se estivesse pisando em nuvens. Tudo aquilo parecia um sonho: ele ali, bem na sua frente! A sensação era de que o tempo havia parado.

– Podemos jantar no Paradise. A comida é boa e leve. O que você acha?

– Para mim, está bem. É um lugar agradável e a comida também é muito boa.

Ao chegaram no restaurante sentaram-se e escolheram: arroz, carne assada guarnecida com batatas, à moda da casa e uma bela salada de folhas. E vinho para acompanhar. Ela, cada vez mais curiosa, pediu-lhe que falasse da sua pesquisa.

– Existe uma forte possibilidade de me transferirem de volta para cá. Isto pode acontecer aproximadamente dentro de em um mês. Porisso eu já estou procurando um lugar para ficar.

– Você está falando sério?

– Nunca falei tão sério em toda a minha vida. Agora me responda uma coisa: isto te deixa feliz?

– Sim. Fico muito feliz por você.

– Por mim? E quanto a nós dois?

– Bem. Com relação a isto, eu não sei. Acho que há muito tempo já não existe mais "nós dois".

– Como assim, não existe mais? Até onde eu sei, os nossos maiores problemas eram a distância, a dificuldade de conciliarmos nossas vidas profissionais e a saúde de sua mãe. Houve alguma coisa durante a minha ausência? Ou é por causa de alguém que você está me dizendo isto? Quero dizer, existe outra pessoa?

Ela sabia o quanto ele era ciumento. Mas não podia mentir. Até porque, não levaria a nada.

– Bem, eu realmente conheci alguém. Na verdade, iniciamos um relacionamento há bem pouco tempo.

– É sério? E você gosta dele? – disse ele surpreso.

– Eu ainda não tenho certeza. Mas ele é uma boa pessoa e me respeita muito.

O rosto dele se transformou imediatamente, tornando-se sério e pensativo. Foi como se ela tivesse lhe jogado um balde de água fria Queria perguntar o que ela queria dizer com "não tenho muita certeza" e poder tomá-la nos braços como nos velhos tempos... Mas alguma coisa o paralisava. Havia esperado tanto por este dia e agora, tudo parecia ir de novo 'por água a baixo'.

Alice permaneceu séria por alguns minutos. A seguir perguntou sobre a empresa e sobre a vida no local onde ele morava, tentando fazê-lo descontrair-se um pouco, depois daquela revelação.

Conversaram ainda por cerca de meia hora e finalmente ela disse que era melhor irem embora porque no dia seguinte teria muito trabalho e alguns assuntos importantes para resolver.

'Como se encontrar com o namorado' pensou Jan, sem dizer nada, mas já com muita raiva e ciúmes. Ele pediu ao garçom para trazer a conta, pagou e saíram em seguida. Permaneceu calado enquanto se dirigiam para o carro. E ela se sentia deslocada e confusa, agora já não tinha mais certeza se deveria ter lhe falado daquele modo.

Quando chegarem em frente ao prédio em que Alice morava, se despediram com um beijo no rosto.

– Posso ligar para você, pelo menos?

– Pode – respondeu ela – esboçando um leve sorriso.

Quando Alice chegou em casa encontrou um recado de Paul na secretária eletrônica, dizendo que estava tudo bem e que ele voltaria a ligar.

Na manha seguinte o casal Stevenson já estava nas 'garras' da justiça. Paul ligou para Alice e explicou-lhe como tinha sido o procedimento na delegacia e Alice lhe agradeceu muito aliviada. Combinou de ir ao escritório do advogado dele para assinar a procuração, através da qual ele iria representá-la.

– Agora que está tudo resolvido e que estamos mais tranqüilos, por que você não vem até a minha casa, esta noite? Podemos pedir uma pizza e alugar um filme. Que tal?

– Esta noite eu não posso.

– E amanhã?

– Eu não sei.

– Você está me parecendo um pouco estranha. Aconteceu alguma coisa?

Alice não queria ser brusca, mas também não poderia prolongar aquela situação. Desde o dia do encontro com Jan, ela não fazia outra coisa senão pensar nele o tempo todo.

– Aconteceu.

– O que? Diga-me Alice, o que foi?

– Desculpe-me. Eu estou bem no meio de um trecho complicado desde capítulo em que estou trabalhando e a Sara está me ligando insistentemente para agilizarmos estes textos. Posso te ligar mais tarde?

– Pode – respondeu ele visivelmente desapontado.

Capítulo XXXI

Mas Jan não pensa em desistir, assim tão facilmente...

"– Ah, eu tive um sonho tão esquisito! – disse Alice. E pôs-se a contar à irmã, até onde ela podia lembrar, todas estas estranhas aventuras que vocês acabaram de ler."

(Trecho do livro *Alice no país das maravilhas* de Lewis Caroll)

Eram vinte horas quando finalmente Alice avisou Sara que tinha concluído mais quatro capítulos. Contou-lhe que Jan a procurara e a amiga ficou bastante surpresa. Enquanto Alice lhe contava tudo o que ele dissera e também sobre as flores e o presente, o interfone tocou. Ela desligou o telefone e atendeu o interfone. O porteiro lhe disse que havia um tal Jan lá embaixo, no hall social.

– Ele é mesmo maluco – pensou – Deixe-me falar-lhe, por favor.

O porteiro passou o aparelho para Jan.

– Surpresa! – disse ele – voltando a parecer uma criança alegre.

– Você é mesmo maluco. Pode subir.

– Eu estava passando aqui perto e resolvi te dar um alô. Mas se você preferir eu vou embora.

– Não. Eu já disse: pode subir. Passe o interfone para o porteiro que eu vou autorizar.

Alice não sabia o que pensar e nem como proceder. Mas ela conhecia bem o temperamento imprevisível do rapaz e no fundo sabia que ele poderia mesmo aparecer, há qualquer momento.

– Estou atrapalhando? Por acaso não está esperando o seu namorado?

– Não, você não está atrapalhando. Eu acabei de desligar o computador e estava falando com a Sara. E quanto ao meu 'namorado', ele nunca veio ao meu apartamento.

– Bem, neste caso... acho que está tudo bem... – disse ele, sorrindo, aliviado.

– O único problema é que estou totalmente desarrumada para te receber.

– Pois saiba que você está mais linda do que nunca.

– Obrigada – disse ela – tentando disfarçar sua perturbação. – Venha sentar-se aqui na sala. Quer beber alguma coisa?

– Um suco, se você tiver.

Alice sabia que ele não gostava de café. Serviu-lhe um suco de pêssego.

– Seu apartamento continua muito aconchegante. Sabe, quero lhe dizer uma coisa. Eu não vou me conformar com esta história de 'novo namorado'. Ainda mais que você me disse que nem tem certeza se gosta dele. Estou resolvido a encarar isto e decidi tentar bancar esta 'concorrência' – disse ele. E acho que vou começar agora. Isto é, se você me permitir.

Sem esperar que ela respondesse, ele se aproximou e deu-lhe um longo e apaixonado beijo. Ela não teve tempo para reagir. E, para falar a verdade, nem queria. Os beijos continuaram e depois de alguns momentos ela pegou na mão dele e foram para o quarto. A entrega foi total, cheia de saudades e paixão.

Algum tempo depois ambos adormeceram, abraçados.

Por volta das duas horas da manhã Alice acordou, um pouco preocupada.

– Onde você deixou o seu carro?

– No estacionamento.

– Então, se você quiser ficar a noite toda...

– Como nos bons tempos?

– Como nos bons tempos! – disse ela.

– Eu acho que o namorado de alguém "dançou".

– Você quer parar de falar nele toda hora?

– Está bem. Desculpe-me. Mas só que amanhã mesmo você vai resolver esta situação e terminar tudo.

– Está bem. Amanhã mesmo.

E os beijos recomeçaram.

– Você ainda me ama?

– Sim. E você?

– Claro que sim, sua boba!

Na manhã seguinte Jan acordou cantarolando e Alice preparou um café da manhã bem caprichado. Enquanto comiam ele lhe disse que iria continuar procurando um apartamento e que assim que tivesse algo mais concreto voltaria para a empresa no sul para conversar com o pessoal da diretoria. Alice perguntou-lhe se ele tinha certeza de que viria realmente.

– Tenho praticamente certeza absoluta. A chefia da empresa quer que eu substitua outro funcionário que pediu demissão recentemente. Disseram-me que eu preencho os requisitos necessários para ocupar o cargo. E, naturalmente, também vou receber uma promoção.

– É mesmo? E que cargo você vai exercer?

– Gerente geral.

– Meus parabéns!

– E você não precisa recear que eu vá desaparecer de novo. E se um dia eles me pedirem para voltar, eu poderei recusar a proposta porque agora já tenho condições para me estabelecer – disse ele, abraçando-a carinhosamente.

– Eu vou confiar em você – disse ela.

– Bem, agora preciso ir porque terei um longo dia pela frente.

– E eu também – disse ela.

– E, por favor. Faça o que eu te pedi. Mais tarde eu te telefono.

– Pode deixar.

Por volta das dez horas ela ligou para o Paul.

– Até que enfim, Alice. Fiquei esperando sua ligação ontem à noite.

– Desculpe-me, mas aconteceram algumas coisas que provavelmente vão mudar o rumo da minha vida. Principalmente na questão afetiva.

– Mas, o que houve?

– Bem, você se lembra que eu lhe falei sobre um namorado que tive no passado?

– Sim, eu me lembro perfeitamente.

– Ele veio para S.P. e me procurou para conversar. A empresa pretende transferi-lo de volta para cá e ele quer retomar o relacionamento comigo.

– Eu não entendo. Você não disse que sofreu muito por causa dele? Acha que vale a pena começar tudo de novo? Bem, na verdade nem sei se deveria estar lhe falando isto. Afinal de contas eu nem sei exatamente o que houve entre vocês...

– A verdade é que nossos conflitos giravam em torno de problemas que agora não vão existir mais. E, além disso, nós ficamos juntos durante muito tempo e temos toda uma história de vida que compartilhamos. Você me entende, agora?

– Se é assim, o que eu posso dizer ou fazer? Mas confesso que estou muito triste. Você é uma mulher maravilhosa e eu já estava me apaixonando por você, de verdade. Você ainda gosta dele, não é mesmo?

– Gosto. Seria mentira, se eu dissesse o contrário – e depois de alguns momentos de silêncio ela perguntou – Alô, você está aí?

– Sim – disse ele, agora com a voz apagada. – Exatamente agora que eu estava pensando em apresentar você para a minha filha, e lhe dizer que era minha namorada.

– Ela é uma menina muito graciosa. Eu sinto muito. Sinto mesmo. Será que pelo menos podemos continuar amigos?

– Há uma música que conta uma estória bem parecida com esta. E há uma certa altura ela diz: "Um amigo, eu perdôo. Mas a você eu amo".

Agora foi ela quem permaneceu em silêncio. Não sabia mais o que dizer.

– Então vamos dar um tempo – falou finalmente. – E obrigada por toda a compreensão e pelo apoio que me deu.

– Desculpe-me, eu vou desligar. – respondeu ele.

Alice ligou para Úrsula e contou-lhe tudo o que acontecera. Falou que tinha sido muito difícil desapontar Paul.

– A vida é assim mesmo. Ela prepara surpresas que mudam os roteiros estabelecidos por nós. Além disso, você merece ser feliz, depois de tanto tempo de solidão e luta.

– O Jan está tão diferente comigo! Mais carinhoso e atencioso. E as duas amigas ficaram conversando ainda por um bom tempo.

Alguns meses depois, Alice ficou sabendo que a empresa Whitman havia sido condenada a pagar uma indenização a ela e a Paul e que o casal Stevenson conseguira convencer os outros acionistas a regularizarem tudo o que estava fora dos padrões estabelecidos pela lei, passando a trabalhar dentro de parâmetros corretos. Iriam também agir de acordo com as exigências das entidades ambientais, resgatando finalmente os erros do passado.

Alice ficou muito feliz com o resultado positivo que obtiveram e ligou imediatamente para Ursula para contar-lhe as boas novas.

– Puxa, que bom! Isto merece uma comemoração.

– Boa idéia. Mas neste caso, eu teria que convidar o Paul.

– E para convidar o Paul, você terá que contar tudo para o Jan. Caso contrário, não sei como vamos poder comemorar algo sem que você lhe fale toda a verdade.

– E você acha que ele vai entender?

– Eu não sei. Mas um casal não deve ter segredos.

Alice resolveu ligar para Jan na mesma noite dizendo que precisava conversar com ele. O namorado veio apanhá-la e foram para um local tranqüilo. Ela lhe revelou tudo o que tinha acontecido e ele ficou bastante surpreso com toda a história. Principalmente quando ela lhe falou sobre as *viagens.*

– Você acredita em mim?

– Eu acredito. Por que você iria inventar tudo isto? Mas quanto a isto que você chama de *viagens,* eu me reservo o direito de não tirar nenhuma conclusão, pelo menos por enquanto. O importante é que vocês conseguiram desvendar esta trama e tudo teve um bom termo.

– Então nós vamos nos reunir e fazer uma grande comemoração brindando à vitória da NATUREZA. Eu vou fazer uma lista de todos os meus amigos e você pode convidar também os seus.

– Não esqueça de colocar o nome do Fred – disse ele, animado. Vai ser uma boa oportunidade para que eu possa revê-lo e bater um papo.

Ursula e Alice organizaram a lista e ligaram para o pessoal: Paul, Gabriel, Sara e três amigos de Jan.

Na noite do encontro todos foram para uma pizzaria. Paul chegou e apresentava o mesmo aspecto tranqüilo de sempre, agora sem mágoas. Estava acompanhado de uma moça, também bióloga e de sua filha Karen.

Após comerem e beberem ficaram ali, noite afora, conversando animadamente. Jan, que se sentara ao lado de Gabriel, ouvia seus comentários sobre as loucas aventuras de Alice naquela local insólito para onde ela tinha sido transportada. Ninguém questionava a veracidade daqueles fatos, com os quais, na verdade, nem estavam preocupados. O importante é que mais uma ação séria contra os crimes ambientais tinha sido desencadeada.

A pequena Karen que acompanhava toda a conversa, a uma certa altura virou-se para Alice e perguntou:

– Tia Alice, você acredita em 'seres extraterrestres'?

– Sim, eu acredito. E até conheço um. Isto é, conheço uma.

– É verdade mesmo? Uma mulher extraterrestre? E como ela é?

– Bem, acho que não vou conseguir lhe explicar com clareza. Mas posso tentar fazer um desenho para você.

Comentários da autora

Esta é a estória da nossa Alice. Não aquela garota que corria atrás de um coelho e se perdia em meio a gatos e lagartos, mas uma Alice brasileira, uma moça comum da época atual. E os fatos que aconteceram com ela não são apenas mais um caso banal, do nosso cotidiano. Ou até fatos de uma estória de ficção e 'non sense'.

Foram fatos que mostraram a luta de algumas pessoas por um ambiente melhor e por uma qualidade de vida mais saudável para nós e também para as futuras gerações. E mostram também que devemos prestar mais atenção ao mundo em que vivemos, tentando sempre torná-lo melhor e mais humano. Enquanto não houver consciência de que a terra é um lugar cercado por uma natureza que é sagrada e que o nosso país tem um dos mais ricos patrimônios que a humanidade já viu, as agressões vão continuar e todos estarão perdendo. E esta conscientização começa pelas pequenas ações como não descartar lixo nas ruas e reciclar tudo o que for consumido dentro de nossas casas. Isto é o mínimo!

Fica aqui o apelo de Alice e Jan, o casal que conseguiu manter viva a chama de um amor sincero, de Paul, um biólogo que, como tantos outros estudam e veneram a natureza e de seus amigos que compartilhavam verdadeiramente as mesmas aspirações e ideias.